THIS BOOK BELONGS TO
EVA SALGADO

Tú PUEDES VIVIR EN LA PROSPERIDAD ¡AHORA!

D1270101

TÚ PUEDES VIVIR EN LA PROSPERIDAD ¡AHORA!

Alida y José L. Sosa, R.Sc.P.

Grupo Editorial Tomo, S. A. de C. V.
Nicolás San Juan 1043
03100 México, D. F.

1a. edición, septiembre 2001.
2a. edición, septiembre 2005.
3a. edición, septiembre 2007.
4a. edición, agosto 2009.

© *Tú puedes vivir en la prosperidad ¡Ahora!*
Alida y José L. Sosa R. Sc. P.

© 2009, Grupo Editorial Tomo, S.A. de C.V.
Nicolás San Juan 1043, Col. Del Valle
03100 México, D.F.
Tels. 5575-6615, 5575-8701 y 5575-0186
Fax. 5575-6695
http://www.grupotomo.com.mx
ISBN: 970-666-429-7
Miembro de la Cámara Nacional
de la Industria Editorial No 2961

Diseño de Portada: Trilce Romero
Formación Tipográfica: Rafael Rutiaga
Supervisor de producción: Leonardo Figueroa

Derechos reservados conforme a la ley.
Ninguna parte de esta publicación podrá ser reproducida
o transmitida en cualquier forma, o por cualquier medio
electrónico o mecánico, incluyendo fotocopiado, cassette, etc.,
sin autorización por escrito del editor titular del Copyright.

Impreso en México - *Printed in Mexico*

"Si has logrado amazar una fortuna,
puedes incrementarla aún más. No es malo
desear tener más cuando este deseo es
el de compartir y vivir a plenitud.
Nadie te limita. Eres tú mismo quien lo hace
a través de tu actitud mental o pensamientos
de temor y limitación.
Tú puedes vivir en la prosperidad;
paz; armonía; felicidad y éxito
porque es tu herencia Divina".

Para cualquier información relacionada con el presente libro, favor de comunicarse al Apartado Postal #352, San Nicolás de los Garza, N.L. 66451 México. Teléfono (8) 376-7549, Fax (8) 376-0476. Correo electrónico:

alidaandjosesosa@yahoo.com

inscmmty@hotmail.com

Para ti que buscas vivir una vida feliz, sin
preocupaciones, tener una salud permanente y éxito
en todo lo que emprendes, así como vivir
siempre en la prosperidad, este libro te ayudará
a encontrar todo esto y vivirlo porque
es tu herencia Divina.

Con amor y bendiciones.

Alida y José

INTRODUCCIÓN

*E*ste libro encierra una gran verdad; que tu riqueza y prosperidad son tu herencia Divina. Tu parte es reconocerla, aceptarla y declararla para que se manifieste en tu vida.

Para nadie es fácil aceptar esta verdad cuando la mayor parte de su existencia ha experimentado lo contrario, o sea, pobreza y limitación. Es un concepto simple, y debido a su simplicidad cuesta trabajo creerlo y aceptarlo.

El estudio de la Ciencia de la Mente es una filosofía, una fe; una forma de vida mejor. Es una correlación de Leyes de ciencia, opiniones de filosofía y revelaciones de religión aplicadas a las necesidades y aspiraciones de la humanidad. Es una enseñanza práctica que ha ayudado a miles de personas a experimentar riqueza en vez de pobreza, abundancia en vez de escasez, salud en vez de enfermedad, felicidad en vez de tristeza, paz mental en vez de caos y todas las cosas buenas que el Creador nos ha dado.

No importa que no hayas experimentado prosperidad, no importa que hayas fracasado, no importa que hayas vivido en la carencia; debes afirmar que eso quedó en el pasado. Ahora tienes que pensar muy seria y honestamente, ¿realmente deseas que tu vida esté plena de prosperidad, abundancia y éxito en todo lo que hagas, digas o pienses?

Empieza a "sembrar" en tu mente sólo pensamientos de riqueza si verdaderamente estás dispuesto a creer es posible. Usa tu poder mental en forma productiva, no lo desvíes pensando o dejando que influya en ti lo que otros digan o piensen acerca de la escasez y limitación. Mentalmente afirma: *"En mi vida ahora sólo hay riqueza; yo vivo y disfruto de la riqueza; ella es mi herencia Divina"*. No importa que de momento no sea verdad, con esta afirmación no interfieres con la riqueza de otros ni dañas a alguien, sólo estás estableciendo dentro de ti lo que realmente quieres o deseas experimentar, ¿no es así?

Hay una declaración bíblica que dice: *"Aquel que tiene se le dará más, y al que no tiene, aún lo poco que tiene se le quitará"*. Suena injusto si lo tomas en forma literal, pero en su interpretación espiritual es una gran verdad. Significa que *"aquel que tiene"* nunca piensa en escasez, siempre está pensando en que tendrá más y la Mente Creativa le da el resultado de su creencia, lo cual incrementa su riqueza. *"El que no tiene"* lógicamente teme que se termine lo poco que tiene y eso es su perdición, porque la Ley Mental le da exactamente lo que teme, más pobreza. Job lo afirma en esta cita: *"Lo que tanto temía me sucedió"*.

Es como el dicho que dice, *"el rico piensa en riqueza y el pobre en pobreza"*, ambos están usando el mismo Poder Creativo —o Ley Mental— sólo que en diferente forma. ¿Cómo lo usas tú?

El propósito de este libro es el de proporcionarte *tips* para que los uses e incrementes tu riqueza o que salgas de la escasez y entres a la riqueza y prosperidad. No demores más tu riqueza, empieza ahora, hoy, aquí mismo donde estás es el lugar y el tiempo correcto para comenzar tus afirmaciones de riqueza. ¿Cómo te sentirías en este momento si ya tuvieras una gran riqueza? ¿Acaso estarías preocupándote por las cosas que necesitas adquirir? ¡Claro que no! Simplemente sabrías que tienes suficiente y más para hacer tus adquisiciones.

De igual manera empieza a sentir que en el banco cósmico tienes a tu disposición una gran cuenta a tu favor, lista que extraigas de ella todo lo que necesitas para demostrar que eres una persona con riqueza, y por lo tanto te sientes feliz, alegre, entusiasta, eres caritativo, generoso, bondadoso, atento, servicial, sin temores ni ansiedad; por el contrario, siempre con mucha calma, con mucha serenidad, seguridad y dispuesto a dar y recibir de la vida lo mejor.

Nuestros mejores deseos van puestos en este libro dedicado especialmente para ti, querido lector. No dudes en ponerlo en práctica para que te convenzas por ti mismo de esta verdad como lo hicimos nosotros. Inviertes la misma cantidad de tiempo pensando positivamente que negativamente, pero ¿qué te beneficia más? ¡Atrévete a creer! ¡Decídelo ahora! Tienes todas las de ganar, nada qué perder. Tu riqueza te espera, acéptala y será tuya, así de simple.

Prof. José L. Sosa

Otoño/2000.

Yo decidí escribir acerca de la prosperidad al igual que mi esposo, el maestro José. Te preguntarás por qué hasta ahora he decidido hacerlo después de 40 años de conocer la Verdad? Porque en este momento que escribo estas líneas me siento verdaderamente próspera.

Déjame decirte que en Ciencia de la Mente aprendí que la prosperidad es un derecho Divino que todos tenemos como hijos de Dios que somos, y que ser próspero es un paquete balanceado que consta de tener salud perfecta, armonía en tu hogar, suficiente dinero para disfrutar ya sea en viajes, comprar ropa bonita e ir a comer a buenos restaurantes sin preocuparte por los precios para ver si te alcanza con lo que traes en la cartera.

También tener paz mental, esa paz que trasciende todo entendimiento y que sólo puedes lograr cuando en verdad comienzas a depender de Dios nuestro Padre-Espiritual. Depender de Dios es comprender que Él te ha dado todo lo que tienes a través de Sus canales —-que somos todos nosotros, Sus hijos. Es saber que todo es conciencia —o sea pensamiento— y si todo es conciencia, lo único que tienes qué hacer es pensar en abundancia, riqueza, éxito, en todas las cosas buenas de la vida porque constantemente creas y a la vez experimentas en tu vida. La Ley Mental no sabe más que del ahora, por esta razón no tienes que preocuparte por mañana, solamente tienes que "preocuparte" por este momento pues es el único en que puedes pensar y crear lo que deseas para mañana. El mañana es hoy.

Profa. Alida Rodríguez de De Lira

Otoño/2000.

Capítulo 1

RECONOCIMIENTO Y DEMOSTRACIÓN

Si en verdad deseas ser próspero permanentemente, antes que nada debes crear una conciencia de prosperidad. Pero qué significa esto, qué queremos decir con crear una conciencia de prosperidad. Por ejemplo, si *"dentro"* de ti no hay un equivalente mental de prosperidad, no podrás demostrarla *"afuera"* porque *"como es por dentro es por fuera"*.

Vamos a poner un ejemplo, supongamos que deseas comprar un auto nuevo porque ya estás cansado de batallar con el "viejito" que tienes. De antemano sabes que no tienes dinero suficiente para hacer esta operación, entonces dices: "Es sólo un sueño, yo qué daría por tener uno nuevo, pero no es posible".

¿Qué sucede en esos casos? No hay realización del deseo y se queda en eso, en deseo. Debido a que no existe un equivalente mental de poder adquirir el automóvil nuevo aunque te falte este y otras cosas que no estás seguro de obtener, estarás viviendo una vida de carencias.

El Poder Creativo que hay en ti requiere que tengas una aceptación consciente del deseo sin dudar en qué forma se llevará a cabo. En otras palabras, tu trabajo consiste en aceptar lo que deseas antes de que lo tengas en las manos o antes de que lo veas objetivamente. Para tener una demostración se requiere primero el reconocimiento consciente de que te mereces eso y más porque es tu derecho Divino como hijo del Creador.

Para tener una realización inmediata, tienes que tener siempre el equivalente mental *"dentro"* de ti para que pueda haber una expresión igual. Pero, ¿cómo lograrlo? Afirma una y otra vez:

"Yo (tu nombre), acepto con gratitud aquí y ahora el automóvil perfecto que merezco tener, para realizar los trabajos de Dios que Él hace a través de mí". Puedes usar esta misma afirmación para realizar cualquier objetivo, claro que debes hacer los cambios necesarios.

Afirma una y otra vez siempre que tengas la oportunidad de hacerlo, de preferencia exprésalo verbalmente, audible sólo para ti. Es una forma de llenar lo que llamamos "el equivalente mental". Debes saber que dentro de ti existe un poder que siempre te da resultados de las creencias y hábitos de pensamiento establecidos por ti. Ya sean pensamientos o creencias verdaderas o falsas, conscientes o inconscientes, este poder no razona, no discute contigo acerca de ello; simplemente te da un resultado exacto de lo que crees.

Por lo tanto, tu responsabilidad es elegir, seleccionar, aceptar o rechazar. Así, lo que el Poder Creativo establece "dentro" de ti lo que hayas creído, bueno o malo, verdadero o falso, y quizá por eso has experimentado una vida a veces buena y otras mala. Cuando reconoces que en ti hay un poder que constantemente almacena tus hábitos de pensamiento y creencias para luego darte un resultado de ellos, entonces debes ser muy cuidadoso y sólo seleccionar pensamientos que te enriquezcan, que te den abundancia, prosperidad y éxito si es lo que quieres experimentar.

Lo que queremos decir es que sólo puedes tener las cosas de las que hayas establecido un equivalente mental dentro ti. Hazte estas preguntas:

¿Tengo en mi mente la aceptación correspondiente a la posición que deseo? Si la respuesta es sí, entonces ten la seguridad que la obtendrás y con ello tendrás también prosperidad. ¿Tengo la capacidad para despeñar el trabajo que deseo? Si es así, entonces lo tendrás. ¿Qué me proporciona eso que yo quiero? Es mi equivalente mental. Por lo tanto, debes buscar a cualquier precio un correspondiente mental y una mente que iguale tu bien deseado.

Cuando tengas el equivalente metal y la fe suficiente para verte a en posesión de lo que quieres ahora, entonces habrás provisto un canal a través del cual el Espíritu puede expresarlo. A partir de tu aceptación consciente, lo que deseas será o se manifestará en forma objetiva. De lo invisible, tu deseo tomará forma visible a partir de tu pensamiento.

Suponiendo que alguien necesita algo ahora y no puede esperar hasta cultivar la técnica, ¿cómo puede hacer la realización? Bien, la persona simplemente debe saber que cualquier cosa que va a ella llega a través del canal que ella provee. Por lo tanto, debe proveer ese canal mediante su pensamiento. *"De acuerdo a tu fe* —o actitud confiada de pensamiento— *te será dado"*.

CÓMO DEMOSTRAR PROSPERIDAD

Si quieres demostrar prosperidad en tu vida, lo primero que debes hacer es clarificar en la mente qué es para ti prosperidad. Para algunos significa tener muchos negocios o varias propiedades o vivir en una residencia o ser miembro de un club social y convivir con gente de la alta sociedad.

Desde siempre, el hombre ha considerado que la prosperidad es tener posesiones, objetos y mucho dinero. Por esta razón se ha mantenido en la esclavitud. Surge la pregunta, ¿por qué? Por la simple razón de que ha adquirido todo lo que tiene a través de esfuerzo físico y muchas veces por medio de sacrificios.

Casi toda su vida ha estado esforzándose y limitándose para ahorrar y así obtener las cosas que le hacen sentirse próspero. Cuando las obtiene, no quiere separarse de ellas porque nadie puede cuidarlas o dirigirlas como sólo él lo hace y así, sin darse cuenta, se vuelve esclavo de sí mismo y entonces viene otra pregunta, ¿quién posee a quien?

Cuando se le presenta la oportunidad de hacer un viaje, ya sea solo o con la familia, él dice: "Yo no puedo ir, vayan ustedes. Tengan cuidado de no gastar mucho. Bastante he trabajado para que malgasten el dinero".

Lo anterior no es vivir en la prosperidad y disfrutar de ella; lo que nosotros consideramos prosperidad permanente es vivir sin preocupaciones, ansiedad, temor e incertidumbre; tener salud y suficiente dinero cuando sea necesario, tiempo para disfrutarlo y compartirlo con los demás.

No es necesario que tengas miles o millones en el banco para que te sientas seguro y próspero, sino que tengas lo suficiente y algo más en caso de cualquier necesidad económica o financiera. También eres próspero al tener relaciones buenas y sanas con todos; al recibir buenos resultados en tus oraciones; al ser amado, respetado y reconocido por tu generosidad, sentido de cooperación y buena voluntad para servir a todos por igual; al vivir una vida sana y productiva, todo esto te hace sentir que eres próspero.

Para que tu prosperidad sea permanente, debes meditar —una forma de orar. ¿Cómo hacerlo? Primero busca un lugar donde no haya mucho tráfico o ruido. De preferencia elige un sitio especial, ya sea en tu casa o en la oficina. La meditación no requiere de mucho tiempo, considero que diez o quince minutos son suficientes. Antes de empezar debes eliminar de tu mente todo sentido de ansiedad, temor, preocupación o problema.

Siéntate cómodamente y relaja tu cuerpo lo mejor que puedas, usa tu propio método si te ha dado resultado o empieza por ordenarle mentalmente a cada parte de tu cuerpo que se relaje, él te obedecerá, es mucho mejor si lo haces audible sólo para ti. Tal vez, al principio no lo logres de inmediato, pero progresarás a medida que lo practiques.

No es necesario que tengas encendida una vela, aromas, incienso o cosas parecidas. Debes centrar tu pensamiento en el propósito, y el propósito es entrar en contacto o comunión con la Fuente de provisión y todo bien que es tu Creador.

El gran Maestro Jesús dijo: *"Cuando ores, cierra la puerta y ora en secreto y el Padre que ve en lo secreto te premiará abiertamente. Busca primero el Reino de Dios y su justicia, y todo lo demás te será dado por añadidura".* Aquí el Maestro dice que cuando oremos cerremos la puerta al mundo externo, al mundo de los cinco sentidos, para entrar al Reino de la Causa.

El Reino a que se refiere Jesús no es un lugar *"afuera"* sino un lugar *"dentro"* de ti mismo. Es el lugar donde se originan todas las cosas externas, es el mundo de la realidad eterna. Así pues, una vez que estés tranquilo, sereno, relajado y en paz contigo mismo y con los demás empieza a meditar en el hecho de que todo lo que te rodea, incluso tú mismo, es Espíritu, también las cosas a las que llamamos materiales son Espíritu en forma. Afirma de la siguiente manera:

> *"El Espíritu es inteligencia, amor, bondad y verdad absoluta y yo soy uno con el Espíritu. Yo ahora sé que mi palabra tiene poder y este poder disuelve en mi subconciencia todo pensamiento de carencia o limitación que impide mi prosperidad.*
> *Ahora abro mi mente al fluir de la abundancia que viene a mí por caminos esperados e inesperados.*
> *Ahora reclamo y acepto la prosperidad en mi vida como un derecho Divino. Yo lo creo, yo la acepto con gratitud sabiendo que así es".*

Cuando lo afirmes, tienes que *sentir* que lo que estás afirmando es tu verdad y que con ello no interfieres con nada ni con nadie para lograr tu propósito. Lo que estás haciendo es extraer del "Reino" lo que necesitas para ser una verdadera expresión del Divino Creador. Practícalo cada vez que tengas oportunidad de hacerlo, emplea todo tu tiempo en algo productivo, en algo que realmente desees incrementar en tu vida. Nunca pienses ni hagas cosas que no te beneficien, tampoco dejes que influya en ti lo que otros hagan o digan. Recuerda que nadie puede obligarte a hacer o creer en algo que estés seguro que no te conviene experimentar.

LA LEY ESPIRITUAL

Debes saber que el Universo es regido por una Ley y orden, que eres parte integral del Universo y por consiguiente, también estás regido por esta Ley espiritual. Si no fuera así, entonces la vida sería un caos. La Ley de la Mente rige todo. Como seres pensantes que somos, usamos constante y continuamente esta Ley.

En cada pensamiento usas la mente creativa en ti, la cual actúa sin reservas para crear sobre la imagen o idea que le presentas. Tal vez te preguntes, ¿quién soy yo para estar sujeto a esta Ley? Déjame decirte que todos y todo estamos sujetos a esta Ley Divina llamada Causa y Efecto o Ley Kármica. Además, debes saber que no sólo eres un ser humano, si no también eres un ser espiritual y como tal, eres un centro individualizado de la conciencia del Espíritu que mora en ti y que siempre busca Su cumplimiento.

Cuando estás consciente de esto, entonces te conviertes en un medio por el cual el Espíritu piensa y realiza y disfruta de todo lo que hace a través de ti. Tal vez te parezca algo irrelevante pero, lo creas o no, lo aceptes o no, es la verdad. Hay un hecho muy significativo que prueba que es cierto. Jesús lo experimentó cuando encontró su unidad consciente con el Padre –como él lo llamaba- y dijo que él sólo era un medio por el cual su Padre (Dios) hacía todo y lo expresó en estas palabras: *"Yo por mí no hago nada* (su persona), *el Padre en mí* (el Espíritu que lo sostenía) *es quien hace las obras"*. Jesús usaba la Ley Espiritual en forma correcta para ayudar todo el tiempo a sus semejantes.

También dijo que tú puedes hacer lo mismo que él porque la Ley que utilizaba es universal, lo cual significa que a todos nos da un resultado similar de acuerdo al uso que le demos. Por esta razón, tu tarea es mantenerte a tono y en armonía con la Fuente de todo bien —-con tu proveedor eterno que es Dios.

Igualmente, debes estar siempre consciente de que la Ley obra sobre cada pensamiento o palabra que expresas. La Ley Mental o Espiritual siempre dice "Sí" a todo lo que eliges, es una fuerza mecánica, matemática, no sabe rechazar porque no tiene voluntad propia, no tiene sentimientos ni respeta personalidades, sólo es fiel y obediente. Por lo tanto, si dices que careces de todo, ten la plena seguridad que la Ley, obediente a tu decreto, te dará el resultado de carencia y dificultades. Pero si por el contrario, afirmas que tú siempre tienes y nunca te falta, indudablemente así será porque Ella respalda tu palabra y actúa sobre ella para darte el resultado.

Ésta es la función y simpleza de este poder inherente a cada uno de nosotros. No tienes que buscarlo porque él está en ti, no tienes que pertenecer a cierta religión o hacer sacrificios para obtenerlo y que te responda, nada de eso. Sólo requiere que lo reconozcas y lo uses en beneficio propio y de los demás, nunca para hacer o causar daño a otros, porque al hacerlo, él te devolverá el daño. *"No hagas a otro lo que no quieras para ti. Lo que sale de ti, regresa a ti multiplicado. Con la vara que midas serás medido"*. ¿Está claro para ti?

Como ya se mencionó, esta Ley es universal o sea que responde a todos por igual, no importa tu filiación religiosa, si eres ateo, bautista o católico. Ella no es selectiva ni razona, sólo obedece y crea a lo que prestes atención. Así pues, mantén enfocado tu pensamiento y atención en lo deseado, nunca en lo no deseado.

LA LEY DE ATRACCIÓN

En el estudio y práctica de la Ciencia de la Mente* comenzamos a darnos cuenta que el suministro o provisión de todas las cosas que necesitamos para vivir una vida plena no es cuestión de forma material sino de fuerzas espirituales. Más aún, conforme tomas conciencia de las fuerzas espirituales siempre accesibles para todos, es mucho más fácil manifestar las formas materiales.

Esta experiencia continúa para siempre y entre más sigas este orden de provisión, con más facilidad te llegará todo tipo de suministro. Lo máximo de este descubri-

---

*Ciencia de la Mente es una correlación de Leyes de ciencia, opiniones de filosofía y revelaciones de religión aplicadas a las necesidades de la humanidad. Es una filosofía, una fe, una forma de vida mejor. Una enseñanza práctica que ha ayudado a miles de personas a experimentar salud, felicidad, paz y amor.

miento es el secreto de la manifestación instantánea. Lo anterior se logra cuando la persona está llena de fe, creencia y convicción en cuanto a su unidad consciente con la Única Fuente de todo lo bueno que es el Padre Espiritual.

Cuando estás consciente y de común acuerdo con la Ley del Suministro, entonces experimentas una gran sensación de libertad y seguridad porque sabes de antemano que esta Ley llena todo sin esfuerzo alguno. Es como pasar de una habitación encerrada a la libertad de respirar el abundante aire libre. Cuando la Riqueza Divina —que es ilimitada— te provee a través de la Ley del Suministro, entonces cae de tu mente todo el peso de la carencia y limitación que estaban establecidas en forma inconsciente en tu subconciencia.

La abundancia de todas las cosas buenas te llena y da vitalidad en la misma forma que cuando respiras y el aire llena tus pulmones, te sientes reanimado y fortalecido. Los presagios de la carencia no te perturban más porque ahora sabes que la abundancia del Universo está siempre disponible para ti. Cuando la grandeza y el poder del hombre interno son reconocidos, entonces todo lo concerniente al aspecto de su vida externa es llenada también —porque *como es por dentro es por fuera.*

En la etapa del progreso y desarrollo del suministro interno adquieres entendimiento y comprensión de que tu provisión está asegurada. Te das cuenta que las cosas que con anterioridad buscabas afanosamente, ahora ellas te buscan. Una fuerza magnética interna atrae hacia ti oportunidades de trabajos perfectos y bien remunerados, relaciones armoniosas y dinero suficiente para solventar tus necesidades económicas en el momento preciso.

Ésta es la forma como trabaja la Ley de Atracción en tu vida cuando estás en sintonía con ella, cuando en tu mente no existe temor, ansiedad o incertidumbre acerca de tu suministro o provisión. Sabes que el Creador ha dispuesto todo para que tu vida, que es Su vida, siempre esté rodeada de abundancia —*"antes de que pidas, Dios ya te ha dado, porque Él sabe de qué tienes necesidad"*.

No pases mucho tiempo solamente pensando y deseando que lleguen las cosas a ti sin que hagas algo para atraerlas. Debes estar también siempre dispuesto y alerta para ir a ellas. Pero tal vez te preguntes cómo hacerlo. Es sencillo, tienes que estar todo el tiempo activo en la construcción y mantenimiento de la realización mental de que la abundancia del Universo es tuya, que ella fluye hacia ti de todas las formas y fuentes. Asimismo, que la Ley de Atracción abre todos los canales y medios para que tu provisión llegue oportunamente, sin demora.

Medita cuantas veces puedas sobre este pensamiento: *"Yo estoy lleno de la sabiduría, amor, poder y sustancia Divina, y como un imán irresistible, atraigo hacia mí todo lo que es necesario para mi más completa expresión en la vida. Yo acepto completamente en mi mente esta verdad y ella se expresa en todo momento en mi mundo y en mi vida. Amén"*. Sigue esta práctica, pero no mantengas un ojo abierto y el otro cerrado esperando que las cosas lleguen a ti porque estarás desviando tu atención y se retrasará el proceso.

Debes mantenerte todo el tiempo con la atención enfocada sólo en la siempre presente abundancia de Dios que está a tu alrededor, a tu disposición y llena cualquier necesidad. Así, en esta forma —cambiando tu actitud mental—

lograrás con facilidad llevar a cabo toda clase de negocios rentables y una vez que los hayas disfrutado, podrás venderlos y obtener buenas ganancias.

Te darás cuenta que en el trabajo espiritual —estar consciente de que todo lo mueve el Espíritu—- siempre se disfruta lo que se hace y nunca se agota, de hecho, trabajas más productivamente y lo disfrutas. Te sientes con entusiasmo porque estás incrementando tu poder espiritual y la abundancia de todas las cosas buenas. *Sabes* que todo el Universo trabaja contigo, guía tu mente, alimenta y complementa tu habilidad y sostiene en perfecto balance y equilibrio tu cuerpo.

Empiezas a saber que *"el Espíritu de Dios trabaja en y a través de ti para hacer aquello que desea hacer"* —usarte como un canal de provisión para otros. Recuerda que *atraes* hacia ti lo que construyes mentalmente procedente del mundo que has conformado con tu nueva forma de pensar. Cuando empiezas a ver los resultados, tienes ya la respuesta y explicación de que todo proviene de una *causa* mental, también entiendes lo que antes considerabas como una injusticia.

Hay mucha gente que se pregunta porqué a ciertas personas, que al parecer son buenas trabajadoras, fieles y sinceras, siempre les pasan *"cosas"* funestas. En nuestro punto de vista, lo que pareces hacer o ser en lo exterior no es lo que cuenta porque *"el hombre ve la apariencia, pero Dios ve el corazón"* —humanamente sólo ves la apariencia, pero mental o espiritualmente manifiestas lo que piensas y sientes. Por ejemplo, un trabajador que aparenta estar contento con su trabajo pero en su interior hay resentimiento pues piensa que no está bien remunerado y lo hace de mala gana, de manera inconsciente está buscando ser despedido.

Lo que sucede en la conciencia de un hombre determina la condición externa. Otro ejemplo: *"Aquel que tiene, se le dará más. Y al que no tiene, aún lo poco que tiene se le quitará"*. Si tomas literalmente esta declaración parece una injusticia, pero no lo es.

Espiritualmente interpretado significa que *"aquel que tiene"* nunca piensa en escasez o limitación, por el contrario, siempre está pensando en que tendrá más y por esta razón, la Ley Mental incrementa lo que tiene. En cambio, *"aquel que no tiene"* teme que se termine lo poco que tiene y es su perdición porque la Ley le dará exactamente lo que está temiendo, más pobreza. Ambos usan la misma Ley pero en forma diferente. Hay un dicho popular que dice *"El rico piensa en riqueza y el pobre en pobreza"*. Éstos son estados de conciencia, por lo tanto, son expresiones diferentes e irrevocables de acuerdo a la aplicación de la Ley Divina.

Dicha Ley es impersonal —no respeta personalidades, filiación religiosa, credo o raza, es inmutable, no razona, no tiene sentimientos ni es selectiva; sólo obedece y crea aquello que crees, ya sea verdadero o falso, bueno o malo, ella procede en consecuencia. Por ejemplo, si piensas y crees de verdad que nunca podrás ser rico, no dudes ni por un momento que así será; vivirás preocupado, temeroso, siempre experimentarás escasez y limitaciones en tu vida.

Por el contrario, si en verdad crees que mereces vivir rodeado de todo lo bueno, tampoco tengas duda que así será. Tu vida estará libre de preocupaciones y temor porque sabes que siempre eres provisto de todo lo necesario en el momento preciso ante cualquier situación. Ésta es la forma simple en que trabaja la Ley de Atracción para todos.

El propósito en esta vida es perfeccionarte, modificar tu forma de pensar, mantener tu enfoque en lo espiritual, no en la acumulación de dinero y posesiones. No queremos decir con ello que esto último sea malo, ¡claro que no! Pero debes tomar en cuenta que el dinero y las posesiones no construyen una conciencia de abundancia, aunque ciertamente te ayudan si procedes de forma correcta.

Tu entorno cambia tan inevitablemente y bajo la misma Ley como cambia la expresión de tu rostro. Toma en cuenta que no es la sonrisa la que hace que el corazón sea alegre, sino es un corazón alegre el que produce una sonrisa. De la misma manera se aplica la Ley que genera la condición de miseria, tu cuerpo, ropa, sustento, negocio e incluso tus finanzas. Lo que irradias determina lo que será tu mundo externo — *"como es por dentro es por fuera"*.

Si has tenido dificultad para ser provisto o tener abundancia o has fracasado en los negocios, trata por todos los medios de olvidarte de lo ocurrido antes, piensa ahora en lo que realmente deseas. Empieza hoy tu nueva siembra.

Entrégate a la meditación, dedícate a ella con el sólo propósito de construir una fuerte realización de los hechos indicados. Es una forma de elevar tu espíritu, de incrementar las fuerzas de la abundancia que ya existen dentro de ti.

El potencial de la riqueza existe dentro de ti porque es el poder que vive en tu interior. El hecho de que seas consciente de que toda la riqueza del Universo es tuya ahora te proporciona el suministro e incremento ilimitado de todo lo necesario para que tu vida sea plena.

Llena tu corazón, alma y mente con los *"tesoros del Cielo"* —los pensamientos de riqueza, abundancia, éxito, salud y paz mental—, así, tendrás en abundancia las riquezas del mundo. También llegarán a ti como vienen los lingotes de hierro que son atraídos por un imán.

Una forma de meditar es la siguiente: busca un lugar tranquilo y siéntate lo más cómodo posible en un sillón o reclinable. Olvídate por el momento de todo problema o sentido de preocupación en cuanto a tus asuntos o negocios. Deja fuera de tu mente todo lo concerniente al mundo externo, al mundo que te rodea, y empieza a relajar tu cuerpo lo mejor que puedas. Si tienes alguna técnica o método que te haya dado resultado, hazlo. Mantente todo el tiempo consciente y sobre todo, siente de verdad las siguientes palabras, dilas pausadamente audibles sólo para ti. Si puedes grabarlas con tu propia voz y usar audífonos, es más efectivo:

"Yo reconozco una sola Presencia

y un sólo Poder en el Universo el cual es Dios y

yo,_____,Soy uno con Él.

"Todo el Poder Creativo y la inteligencia Divina llenan y rodean todo mi ser ahora. De este poder y su sustancia han sido y formados mi cuerpo y mi mente. La Presencia Divina que está conmigo y en mí, me sostiene, alimenta y nutre mi alma, mente y cuerpo.

"Sólo el Espíritu que me ha creado puede sostenerme. Por lo tanto, yo reconozco al Espíritu de abundancia que vierte Su sustancia eternamente sobre mí desde todos los rincones del Universo. Yo la recibo con gratitud, la acepto y la integro a mi conciencia y a mi ser.

" El Espíritu es mi luz, mi vida y mi sustancia y yo soy llenado de Su sabiduría, amor y poder. Yo descanso en el conocimiento y poder Divinos. Yo soy suministrado con las esencias originales de la vida. Yo estoy lleno del Espíritu, yo soy el Espíritu individualizado. Mi conciencia está radiante y llena de rica abundancia.

"Yo soy un imán irresistible que atrae todas las cosas necesarias para mi felicidad y gozo. Yo doy gracias a la rica Sustancia Divina, la cual se manifiesta en todo momento en mi vida y llena en el momento preciso toda necesidad, por lo tanto, no hay carencia ni limitación en mi vida, yo lo creo, yo lo acepto con gratitud, sabiendo que Así Es".

Capítulo 2

¡PIENSA Y VIVE EN GRANDE!

L a palabra "riqueza" puede significar diferentes cosas para cada persona. Por ejemplo, para algunos quiere decir enormes riquezas. Para otros significa tener dinero suficiente para adquirir muchas cosas y seguir viviendo sólo al día. En cambio, para aquellos que son considerados sabios, riqueza significa buscar y encontrar la vida abundante y además ganar todo lo valioso y GRANDE que la vida nos ofrece a todos por igual. Te invitamos para que también tú descubras que esto último es el resumen de la verdadera e inagotable riqueza. Aprende a vivir en ¡GRANDE!

Para lograr tener éxito, prosperidad, riqueza y vivir en GRANDE, debes seguir las siguientes reglas o métodos:

Primero: Afirma con mucha fe, creencia y convicción: *"Yo veo a Dios como la Única Fuente de abastecimiento para mi diario sustento"*.

Los tesoros del Todopoderoso están llenos de riquezas infinitas y *"a Él le place"* compartir con aquellos que lo aman y honran con la primera parte de sus cosechas financieras. El Omnipotente del Cielo y de la Tierra es la Única Fuente ilimitada de abastecimiento que existe. Todas las demás, como lo somos tú, yo y otros, ya sean tus padres, parientes, amigos, patrones o gobierno, tienen limitaciones porque sólo son *"expresiones"* o canales de abastecimiento del Creador para sí mismos y los demás.

No hay nada en la Tierra que pueda compararse con la opulencia del Señor. De modo que debes ser rápido en buscar ser favorecido por Él en tu vida, ya que sólo Él es digno de absoluta confianza en relación con tu destino.

Existe un cuento o fábula que dice que una vez hubo un hombre que cultivaba higos y que tuvo muchas y abundantes cosechas, por lo tanto, era próspero financieramente. Sin embargo, una temporada la adversidad lo golpeó como un rayo. Mientras los pequeños higos aparecían en las ramas de las higueras, las langostas llegaron en tales cantidades que cubrieron la tierra hasta donde la vista alcanzaba. Nada que renaciera o creciera podía sobrevivir sin daños de consideración.

Las higueras en sus campos estaban arrasadas por completo. Nada sobrevivió, excepto los propios árboles, que quedaron descubiertos de follaje y frutos. La inmensa devastación era una visión descorazonadora que el cultivador nunca olvidó. Él era víctima de una calamidad sobre la que no tenía control. Observaba impotente la destrucción de sus campos y se sentía abatido.

En medio esta adversidad aprendió una gran lección. Él siempre había creído que la fuente de su abastecimiento provenía de la cosecha y venta de los higos que crecían con tanta abundancia, ya que eran el alimento para su mesa y se vendían en el mercado a los precios más elevados.

El dinero que le proporcionaban llenaba su bolsa y el hombre se sentía próspero. Pero esta plaga de langostas le enseñó que no eran los higos sino las higueras sobre lo que se basaba su prosperidad y riqueza. Así, desde ese día, cuidó y nutrió a sus higueras con más cuidado que nunca antes, ya que una vez más brotarían, madurarían y rendirían muchas cosechas futuras.

Quizá esta fábula sea similar a la del hombre que pone toda su fe y confianza en los recursos externos para su sustento, los cuales siempre están fluctuando y no son permanentes cuando la Única Fuente infinita digna de tu confianza debe ser y es Dios, el Eterno Proveedor. Aprende esta lección y no limites la capacidad Divina de satisfacer tus necesidades al buscar otras fuentes para vivir. No confíes para tu sustento en las promesas del mundo externo porque son variantes; sólo las bendiciones del Señor tienen una significación y permanencia genuinas.

Segundo: Afirma con mucha fe, creencia y convicción: *"Lleno de fe, yo doy la décima parte del total que gano. Y así como doy, regresa a mí de manera perpetua y en cantidades inagotables".*

Dar debe convertirse en una prioridad en tu vida, igual que el sueño, la comida y la bebida; debe convertirse en un buen hábito. En la medida de tus posibilidades, no escatimes tus dádivas a los huérfanos que lo necesitan, a los pobres, los ancianos, los carentes de hogar, los hambrientos, los enfermos, los incapacitados y todos aquellos sobre quienes se abate el desastre.

Todas estas dádivas harán que seas reconocido por ser una persona caritativa, bondadosa y altruista. La Ley

Mental siempre te regresa pródigamente lo que das, dependiendo de cómo lo hagas. La Ley espiritual del diezmo funciona para ti cuando la pones en acción adecuadamente, es decir, cuando devuelves a Dios la décima parte de lo mucho que Él te ha dado, o sea, a los centros donde se imparte la Verdad, al lugar de donde recibes tu *"alimento espiritual"*.

Estas instituciones son canales del Señor para elevar la conciencia del hombre al nivel espiritual donde no existe carencia ni limitación. Ni con toda la caridad del mundo podremos acabar con el hambre y la necesidad. Los que lo han intentado, han fracasado.

Lo único que termina con lo anterior es salir de la ignorancia, de la oscuridad —reconocer quién realmente eres, no sólo un ser humano sino un ser espiritual, Divino, provisto de todo lo necesario por Dios, tu Padre Espiritual. Hay una frase que dice: *"No des siempre pez al que te pide, enséñale a pescar"*.

La forma de dar que recibe más bendiciones es ayudar a tus compañeros a ayudarse a sí mismos. La siguiente forma que recibe más bendiciones es ayudar a quienes lo necesitan en forma anónima y secreta, sin saber quiénes recibirán tus obras de caridad, de modo que no tengan posibilidad de devolvértelo.

Asimismo podrás ayudar a los pobres y a los necesitados a ganarse la vida de manera que les permitas mantener el respeto por sí mismos y dignidad. A toda costa, es necesario librar de la vergüenza a los pobres y a los necesitados. Enséñales que, así como tú, ellos también pueden salir de esa conciencia de limitación al valerse por sí mismos y no al depender de la caridad pública sino de su Fuente interna.

Evita los regalos perniciosos a las falsas religiones, a las personas que adoran al mal en lugar de al bien, a causas opuestas a las enseñanzas del Señor y a los esquemas equivocados que se concibieron mediante la codicia y deshonestidad.

Sé muy específico sobre el destino de tu caridad y a quién ayudas. Elige con cuidado, confía en tu guía interior, reflexiona y ora antes de comprometer tus regalos a cualquier persona, institución o propósito.

No debes sujetar tus dádivas a colores o razas, ya que cada hombre debe conocer la generosidad y amor de su Creador. Las personas tienen tanta hambre por el conocimiento de Dios como de alimentos para llenar sus estómagos. En verdad, muchos sufren de hambre espiritual. Si un hombre con una necesidad genuina te pide ayuda financiera y careces de dinero en ese momento, entonces dale amor, esperanza y motivación.

Dar algo de uno mismo es un acto profundo de caridad tan importante como compartir tus finanzas. En el esquema eterno de las cosas se te mide por lo que haces en relación con lo que tienes. *"Da en forma proporcional a tu ingreso para que Dios no haga tu ingreso igual a tus dádivas"*. Es el corazón, no el don, lo que hace al donador.

El carácter del donador es de la mayor importancia. No des sólo para recibir a cambio, debes dar sin condición. Deja que tus dádivas se originen en un corazón puro. Este concepto tiene poco sentido para los hombres cuyo único objetivo en la vida es acumular riquezas.

En este punto, es importante que te hablemos de la dinámica de *"sembrar y dar"*. Recibirás en proporción y en la especie que plantaste, ya que la certeza de tu recompensa queda asegurada en los *"principios de la cosecha"*.

Dar se asemeja a plantar semillas en el jardín de Dios, Él las nutre, las hace fructificar y las multiplica. Él hace que coseches en abundancia si sigues esas instrucciones. De esta manera te aseguras una prosperidad y riqueza permanentes ya que las riquezas del Señor son abundantes y permanentes.

Recuerda que existen ciertos lineamientos que debes seguir con el objeto de asegurar la bendición del Señor sobre tus *semillas-dádivas* de dinero.

- Planta tus *semillas-dádivas* con una actitud alegre, sin esperar nada a cambio. Plántalas con expectación, sin escatimar nada.

- No plantes menos de una décima parte tus ingresos brutos para promover el trabajo de Dios en el mundo. Observa la multiplicación de tus *semillas-dádivas* y cómo regresan a ti multiplicadas diez y muchas veces más.

- Planta más a medida que aumente tu prosperidad, cuya cantidad se determinará por la convicción de tu corazón mientras escuchas en silencio la llamada del Señor. El deseo de plantar más de tu excedente en crecimiento es una prueba de tu carácter, ya que demuestra que amas más a Dios que al dinero.

El Creador nunca permite que Su trabajo entre los hombres permanezca sin realizarse debido a la carencia de recursos financieros. Él vigila que quienes lo aman y tienen el deseo de dar reciban con abundancia, para que asimismo puedan dar con abundancia. En esencia, esto explica la dinámica de *"Plantar y Dar"*.

Tercero: Afirma con alegría, fe y convicción: ***"Mi Padre Celestial incrementa mi prosperidad y yo con agrado incremento mis dádivas. Gracias Dios"***. Al igual que el granjero cultiva trigo con la expectativa de que crezca y le rinda una cosecha abundante, tú debes esperar que tus *semillas-dádivas* crezcan y brinden más riqueza a tu bolsillo para que puedas dar cada vez más.

Dios está contento cuando bendice a aquellos que demuestran su creencia en la cosecha de la fe al regalar *semillas-dádivas*. Él les recompensa en la forma de cosechas abundantes. Hacerlo es una demostración de tu fe y entrega y es una gran influencia para los demás al ver que confías en Él, quien te entrega las semillas de la fe que plantas, las hace fructificar y de manera continua te rinde cosechas abundantes de fe.

El Señor no te pide que plantes más semillas de las que tienes, ni te exige que des más de lo que tienes para dar. Pero sí espera que plantes las semillas que tienes al dar del dinero que con regularidad llena tu bolsa. El Señor ama a quienes dan en forma generosa y alegre.

Sigue el ejemplo del granjero que primero planta y luego cosecha. De igual manera debes plantar primero tus semillas de fe antes de que sea posible recibir una cosecha de fe. Planta en abundancia y recogerás con mucha mayor abundancia. Ten fe y sé diligente con tus *semillas-dádivas* y observa la mano del Señor trabajar en todo lo que haces. Pon atención, da desde el fondo de un corazón puro y un día comprenderás el poder ilimitado del Principio: *"Recibe más bendiciones quien da que el que recibe"*.

Antes de buscar otra cosa, procura la rectitud y el Reino de Dios y todas las cosas valiosas por las que te esfuerzas estarán a tu alcance porque habrás cubierto el requisito *"Busca primero el Reino de Dios y Su justicia y todo lo demás te será dado por añadidura"*. Aquí se encuentra el secreto de una vida abundante.

Si das de tu bolsa con alegría y libertad, de manera que todos los hombres tengan la oportunidad de conocer a Dios y que quienes de verdad lo necesitan cubran sus necesidades, nunca sufrirás de carencia y tu bolsa estará siempre llena hasta el punto de rebosar.

Un hombre sabio aprende pronto que el ser humano también es espiritual y que tiene la capacidad de desarrollar el alma y el cuerpo de modo que todo él se esfuerza en permanecer en completa armonía consigo mismo y con todo lo demás. Él sabe que el balance y equilibrio son esenciales para tener una vida abundante y plena y para desarrollar las cualidades y virtudes que son inherentes.

Comienza ahora mismo a observar la abundancia de la naturaleza que te rodea, por ejemplo, observa los exuberantes valles, las montañas, las anchas praderas, los bosques, los ríos, los azules y verdes mares, las incontables arenas de las playas, los vastos desiertos y los majestuosos y diferentes Cielos. Y ni qué decir de lo que no vemos que hay bajo la tierra. Verdaderamente no existen límites en lo que el Creador te brinda.

En el mundo físico-material, donde vives ahora, observa los edificios y rascacielos, los magníficos palacios, los suntuosos templos, las vibrantes ciudades, los innumerables negocios prósperos y la abundancia de riqueza por doquier. Parece no haber límite a lo que el hombre es capaz de lograr. Existe tanta abundancia en tu entorno que los ojos se cansan sólo de verla en su totalidad. Entonces, ¿dónde están la carencia y limitación? Sólo están en la mente de las personas que piensan en ella.

Pon mucha atención a lo que te diremos: Tú tienes tanto derecho como cualquier otra persona a ganar una parte de esa riqueza. No tiene límite ni está reservada para cierta clase privilegiada de gente, ya sea que consideres que son más listas o afortunadas que tú; nada de eso existe porque la riqueza está siempre disponible para todo aquel que desee tenerla. La prosperidad, riqueza y éxito son resultados de una aceptación consciente de ellas porque nos pertenecen a todos por igual como un derecho Divino. Por esta razón debes permanecer siempre consciente de que el resultado no depende de circunstancias externas o de otras personas fuera de ti mismo. Tal vez este precepto te parezca demasiado bueno para ser verdad, pero puedes estar seguro y confiado porque lo creas o no, lo aceptes o no, es una profunda verdad.

La riqueza permanente no te llegará mientras no te hayas preparado para recibirla. Esto también es una verdad absoluta porque la humanidad está sujeta a la Ley Divina de Causa y Efecto. Para cada acción o causa hay una manifestación visible similar. Es simplemente el resultado de la energía o sustancia invisible que hace y moldea el entorno de experiencias que tienes ahora de acuerdo a tu habitual pensar.

Este momento, te encuentras en el lugar correcto de acuerdo al patrón de tus pensamientos anteriores, y el patrón de los actuales da forma a tu futuro. Sin lugar a dudas, los pensamientos se convierten en cosas y el hombre que tiene la inteligencia suficiente para integrar su divinidad con la riqueza demuestra la naturaleza humana en su mejor momento.

¡Ahora! Es el momento apropiado para que tomes la decisión de levantarte sobre la paralizante tentación y aprovecharte de la atracción de estas tres fascinantes y seductoras técnicas, de lo contrario, sufrirás de infortunios miserables durante todos los días. Recuerda esto, la vida de los pensamientos hace o deshace a una persona. Los pensamientos son las *semillas* de las acciones que a la vez crean las circunstancias y experiencias en tu vida.

Si realmente quieres cambiar o modificar tus circunstancias debes alinear tus pensamientos enfocándolos en lo que deseas experimentar, no en lo opuesto. Por ejemplo, si deseas ser rico o incrementar tu riqueza, tus pensamientos deberán enfocarse en los medios para lograr tu propósito. En esencia, tienes que permanecer temporalmente bajo las circunstancias de tu actual condición, pero debes pensar o afirmar por un tiempo *"Yo ahora tengo riqueza, éxito, salud y paz mental"* en función de adquirir la riqueza o incrementarla, y por ningún motivo des cabida a pensamientos de duda, ansiedad, temor, competencia o carencia. Así, tus pensamientos de riqueza y plenitud cambiarán poco a poco hasta materializarse.

La diferencia en el nivel económico de los hombres se debe, en gran parte, a la diferencia en la sustancia que ponen en sus pensamientos acerca de sus finanzas. La inteligencia y la excelencia académica son atributos valiosos, pero no son esenciales para el éxito financiero. Los pensamientos con base en principios espirituales y dirigidos en forma correcta elevan a los hombres hasta el logro de la riqueza verdadera y permanente.

Para adquirir la riqueza en esta forma, no se requiere de lucha ni esfuerzo físico, tampoco mental, sólo requiere disciplina, fe, creencia y convicción. La realización llega automáticamente.

Como ya hemos dicho, la riqueza espera ser reconocida y aceptada por ti para luego disfrutar de ella. Por tal motivo, te invitamos para que comiences a transformar tu visión en una mentalidad que cultive la riqueza. La transformación interna da impulso a las ideas, metas, planes, valores, deseos y persistencia ilimitada que todos tenemos. Cuando has tomado la firme decisión e inicias de buena fe el cambio en tu interior, tu mundo exterior responde en consecuencia y lo cambia todo. Entonces encuentras la riqueza porque te conviertes en una nueva persona, transformada en ricos y GRANDES pensamientos y acciones correctas. La causa que se origina en tus pensamientos provoca un efecto que se manifiesta en tu mundo externo.

Piensa en GRANDE si realmente has decidido salir de la escasez y limitaciones para entrar a una vida más GRANDE, abundante, próspera y rica. Centra tus pensamientos en el Espíritu y únete a Él. Ten siempre presente que no hay nada de malo en desear ser rico o incrementar tu riqueza, siempre y cuando este deseo sea para sentirte más libre financieramente y para compartir tu forma de riqueza con los demás. No obstante sí es malo si obtienes la riqueza en forma deshonesta. Después de todo, ¿cuál es la ganancia real para un hombre que gana su fortuna en forma deshonesta y en el camino se pierde a sí mismo?

La recompensa de la lujuria, la codicia y la envidia es la destrucción. Existe sólo una forma de lograr la riqueza verdadera, pero ella exige el desarrollo del espíritu, el alma y el cuerpo que conforman la integridad de tu ser.

Por último: Ama a Dios, con todo tu corazón, con toda tu mente y sigue sus preceptos. Sé feliz, trabaja con alegría y honestidad, brinda un buen servicio, ejerce la prudencia, muestra tu generosidad, disfruta la vida, huye de la iniquidad, abraza la virtud, ama a los demás como a ti mismo y te deleitarás en la vida abundante y GRANDE durante todos los días de tu vida. Analiza muy bien esto:

> *"ES MUCHO MEJOR VIVIR RICO*
> *QUE MORIR RICO".*

Capítulo 3

EXISTE UN PODER
QUE ES TODO AMOR

Dios es amor, Él no tiene favoritos, nos ama a todos por igual. Ámale por sobre todas las cosas y personas.

Dios es amor, paz, alegría, vida abundante por siempre. Él es tu Padre-Madre-Espiritual, te creó semejante a Él de Su misma esencia. Te dio una mente para pensar, una libertad para escoger, un poder para que seas co-creador con Él.

Tu parte es aceptar que eres uno con Él, que no estás separado sino unido por siempre a Él. Empieza a aceptar ahora que todo lo que el Padre tiene ya es tuyo, que todo lo que Él *es* —Espíritu puro— tú eres. Que vives, te mueves y tienes tu ser en Él y que, por lo tanto, tu mundo es feliz ahora y siempre.

Como Dios es amor y tu Padre-Madre, él quiere para ti, Su hijo, únicamente felicidad permanente. Su voluntad es que seas inmensamente feliz, que tengas relaciones armoniosas y maravillosas, una salud vibrante y permanente. Dinero y tiempo en abundancia para disfrutar todos estos regalos.

Acepta que ya eres rico porque en tu conciencia y en tu mente posees absolutamente todo lo que necesitas para vivir una felicidad en grande. Mira a tu alrededor y cuenta tus bendiciones. Son innumerables.

El mundo te pertenece. El Sol, el mar, la Luna, las estrellas, tu país, los valles, praderas, montañas, carreteras, el agua, la electricidad… y sigue contando y dando gracias a tu Creador por Sus riquezas incontables e incalculables que también son tuyas por ser Su hijo.

Dios te regala la mayor parte de Sus bienes y no te cuestan nada. Lo que cuesta dinero es relativamente poco comparado a lo que se te ha regalado ya. Todo es tuyo aunque no tengas mucho dinero manifestado en tu vida. Reconocer que ya eres rico es el primer paso en tu preparación espiritual para desarrollar una conciencia millonaria.

Tu Padre-Dios te ama inmensamente y te apoya siempre para que prosperes. Él permite que, a través de tu propia sabiduría, seas conducido hacia experiencias que quizá te parezcan negativas, pero no lo son. En ellas, tu Padre siempre te apoya para que aproveches esas experiencias o lecciones que debes aprender en tu vida. Son necesarias para fortalecerte y hacerte más sabio.

Analiza y aprende de estas experiencias porque cada una es un obstáculo que necesitas superar en la ruta hacia tu verdadera riqueza. Es un paso más que has dado para superarte y reconocer que te mereces lo mejor, incluyendo tener muchísimo dinero y bienestar. Acepta a Dios como Socio principal en tu negocio y vida, esto te asegura el financiamiento, el equipo y las personas necesarias para tu éxito financiero, así como para relaciones armoniosas y apropiadas.

"AMA A DIOS POR SOBRE TODAS LAS COSAS"

Quizá alguien diga: "Pero, ¿cómo puedo amar a Dios por sobre todas las cosas?

Primero: Reconoce que eres semejante a Él –en espíritu o esencia.

Segundo: Que Él vive en ti y tú en Él –pues tu vida es Su vida individualizada en tu persona.

Tercero: Que Él es la Fuente de provisión de todas las cosas necesarias para que tú vivas una vida plena —esto incluye tu sustento, casa y vestido a través de todos los medios.

Cuarto: Reconoce y date cuenta que todas las cosas que ahora ves objetivamente provienen de ese mundo que no ves –el mundo espiritual, el Reino de Dios.

Por consiguiente, primero debes amar a Dios por sobre todas las cosas, la verdadera Fuente de tu provisión. Por ejemplo, las personas con quienes te relacionas —tus padres, hijos, hermanos, amigos, semejantes, cosas y objetos— están en tercer término porque primero es Dios, segundo tú y luego viene lo demás en orden según tu criterio y comprensión.

Lo anterior no significa que menospreciemos a alguien, de ninguna manera. Sólo ponemos las cosas en el orden que debe ser según nuestro entendimiento y comprensión de la vida. Hay un ejemplo de una persona que vivía una vida próspera y feliz. Tenía una familia con la cual compartía su tiempo y riqueza, por lo tanto, era un hogar armonioso y feliz. Manejaba una gran cadena de negocios que crecía y crecía sin esfuerzo ni preocupación; al mismo tiempo, él lo disfrutaba y compartía sus ganancias y triunfos con su personal.

Un reportero fue contratado para indagar el secreto de este hombre para triunfar en sus empresas. Él, con mucha serenidad, seguridad y sinceridad le dijo: "Mira ese madero que cuelga de la pared. Tiene tres puntos que llevo a cabo al pie de la letra y, como verás, no es ningún secreto". El primer punto decía: Dios, el segundo decía: Mi Familia y el tercero decía: El Trabajo.

Entonces le dijo que los pasos a seguir para la realización de su modo de vivir eran los siguientes:

1. En el primer momento del día —al despertar— yo reconozco y agradezco a Dios por el nuevo día, le doy gracias por la salud perfecta y por la vida que me ha dado, le agradezco por la familia y hogar que me otorgó como complemento de mi felicidad, reconozco que el negocio y éxitos son dádivas de Dios y por ello siempre le doy gracias. Así siento que cumplí con este primer paso y me siento bien conmigo mismo y con Dios.

2. Para mí, la familia es muy importante. Por lo tanto, siempre les dedico el tiempo posible para compartir con ellos, principalmente por la mañana procuramos desayunar juntos y dialogar antes de que cada quien se vaya a sus diferentes asuntos. De esta manera siento que estoy cumpliendo con ellos y conmigo al expresarles

atención y mi amor. Con este deber moral cumplido salgo feliz de la casa y lleno de entusiasmo para ir a mi trabajo.

3. Llego al trabajo y saludo muy cordialmente a todos mis colaboradores sin distinción de rango; desde el que abre la puerta de la entrada hasta el gerente general. Para mí, todos son importantes porque todos forman parte y cada uno integra el engrane total de esta gran maquinaria que es el negocio donde el Socio principal es Dios. Creo que mi felicidad y entusiasmo contagia a todos y esto mantiene a cada uno haciendo su parte con amor.

Seguir esta disciplina no es fácil al principio, pero vale la pena trabajar en ello porque conduce a la comprensión de que *"Con Dios todo es posible"*. Te invitamos a que tú también lo pongas en práctica en tu vida diaria o en tu negocio y verás que es verdad. La Ley Divina es universal y Ella te da lo que tú crees y das.

En resumen, este hombre de negocios con éxito en todas las áreas de su vida ponía las cosas en su respectivo lugar. Él estaba bien con Dios y consigo mismo —reconocía y agradecía a Dios por todo lo que le daba— estaba bien con su familia porque les daba atención y amor y, como consecuencia, salía de su casa rumbo al trabajo con una amplia sonrisa de felicidad, al llegar a su trabajo irradiaba esa felicidad y lógicamente quienes le rodeaban se contagiaban de su entusiasmo y alegría.

Que no te suceda lo que al hombre promedio, él pone al trabajo en primer lugar. Dice que su trabajo es lo más importante porque de ahí obtiene todo lo que necesita para solventar sus gastos y los de su familia, así como sus compromisos sociales. No presta atención a su familia porque dice que tiene bastantes problemas con el trabajo como para lidiar con la familia, que para eso está la mujer —su esposa— quien debe cuidar del hogar; él sólo cumple con trabajar para llevar el dinero necesario y solventar los gastos de todos. Esa es su obligación.

Y a Dios, ¿cuándo le da atención? Según él, esas cosas son de mujeres o sólo los domingos asiste a misa para cumplir con sus obligaciones de "buen cristiano". Lo hace más bien por obligación que por devoción. Y tú, ¿cómo estás actuando en tu vida? ¿Estás satisfecho con la vida que llevas? ¿Crees que estás sacándole provecho a la vida? O estás viviendo sin darte cuenta de la vida.

Todos estamos aquí para participar en la vida, no para pasarla viviendo sin ser productivos. La vida te da lo que tomas de ella. Por ejemplo, si afirmas que la vida es ingrata contigo, que te ha tratado muy mal quiere decir que no has reconocido qué es en realidad la Vida, y por esta razón, sólo obtienes de acuerdo a tu creencia. Como dijo Jesús: *"Te será dado de acuerdo a tu creencia"*.

Para nosotros, la Vida es Dios y Él no es ingrato. Los ingratos hemos sido nosotros al no reconocer que Él es nuestro Padre Celestial, nuestro Creador, nuestro Proveedor. El Dador eterno que siempre está dispuesto a darnos más de lo que podamos aceptar.

Te invitamos a que pongas en orden tu vida al cambiar tu manera de pensar acerca de Dios. No adores más a falsos dioses porque sólo hay Uno y Él es todo bondad y amor. Enfoca tu atención en esta verdad, te cuesta lo mismo que pasarla por alto; si lo haces, verás la gran diferencia. Empezarás a disfrutar y gozar de una vida de prosperidad, riqueza y éxito sabiendo que todo proviene de la Fuente infinita e inagotable que es Dios.

ÁMATE A TI MISMO

¿Cuántas veces te has dicho o te dices que te amas? ¿Muchas? Qué bueno, pero si no lo has hecho, ha llegado el momento de comenzar. Muchas veces es más fácil expresar amor y cariño a tus seres queridos y amigos pero, ¿qué hay contigo mismo?

Decídete a establecer hoy mismo una buena y estrecha relación de amistad, amor y reconocimiento con la persona más importante en tu vida, *TÚ MISMO*. Esto no es ser egocéntrico; es el verdadero reconocimiento de saber y entender que la persona más importante eres tú, porque al reconocerte, amarte y valorarte es como podrás dar todo esto a los demás. No puedes dar lo que no tienes.

Todas las personas de tu entorno son el simple reflejo de los pensamientos y actitudes que tienes acerca de ellas, pueden moverse o quedarse a tu lado cuando decidas cambiar tu manera de pensar acerca de ti mismo y de ellas.

Si te decides a establecer una buena relación contigo mismo dejarás de tratar de controlar y manipular a los demás y no permitirás que te controlen ni te manipulen. La libertad es el factor más importante en el arte de relacionarse bien. Necesitas ser libre para convertirte en una persona triunfadora y la única manera de conseguirlo es reconociendo los valores esenciales que descubrirás cuando te conviertas en el mejor amigo de ti mismo.

Decídete hoy mismo a darte tiempo todos los días para estar contigo mismo, por lo menos veinte minutos al levantarte y unos minutos al retirarte a dormir. Esto te llevará a un sueño más tranquilo y reparador. La herramienta por excelencia para lograr conectarte contigo y cultivar la relación más importante en tu vida es el silencio, el cual se logra a través de la meditación profunda.

Tú eres un ser Divino de Luz, semejante a Dios —hablando de lo espiritual que te sostiene. Esto no ha cambiado ni cambiará nunca. No importa que antes no hayas expresado amor, tu ser interno nunca ha perdido su luz, su perfección, ni su inocencia y está esperándote siempre.

Sigue el buen consejo del Gran Maestro que dijo: *"Y tú, cuando ores, entra a tu aposento y cierra la puerta. . . Ora al Padre que ve en lo secreto y el Padre que ve en lo secreto te premiará abiertamente"*.

Esto significa ir dentro de ti mismo con el pensamiento y cerrar la mente al mundo de los cinco sentidos, sólo únete mentalmente con la Fuente *"El Padre que ve en secreto"*. No pidas, porque al entrar al Reino de Dios *"El Padre ya sabe de qué tienes necesidad"* y lógicamente *"Todo te será dado por añadidura"*. Es la promesa y será cumplida, no lo dudes. Tú haz tu parte y deja que Dios haga la suya. Él no falla, por lo tanto, no le falles tú.

Si has practicado la meditación no tendrás dificultad; si nunca lo has hecho, entonces practica varios métodos hasta que encuentres uno que te dé el resultado deseado. Todos son buenos, aunque siempre hay uno más adecuado para cada quien.

Te sugerimos que leas el libro *El Goce de la Meditación**, es un tesoro para el principiante y un baluarte para el que medita. En él encontrarás lo necesario para lograr una buena meditación.

TÚ PUEDES REALIZAR TODO

Realmente no hay nada imposible para ti, a menos que consideres lo contrario. Te mereces lo mejor de la vida porque la vida a la que nos referimos es Dios y Él siempre quiere lo mejor para ti, pero ello requiere de tu fe, creencia y convicción porque Él está más dispuesto a darte que tú a recibir.

Claro que todos queremos y tenemos el derecho de vivir rodeados de lo mejor, pero eso depende sólo y únicamente de cada uno porque el Creador ya te ha dado todo; analiza esto: ***"Es el placer del Padre daros el Reino"***. Este Reino no significa algún lugar externo, se refiere al Reino de la Causa que origina todo lo externo o visible y está dentro de ti. Es el Poder innato en cada ser humano que siempre da resultados de tus actitudes mentales de acuerdo a tus creencias, ya sean verdaderas o falsas. Lo que aceptas, bueno o malo, eso tienes, así de simple.

No culpes más a otros si eres una persona que no ha tenido prosperidad, riqueza y éxito en su vida pues la culpa ha sido tuya, claro que ignorabas todo esto y lo que experimentaste te sirvió para llegar al punto donde te encuentras

---

*El Goce de la Meditación, autores: Jack y Cornelia Addington, editado en español por Editorial Panorama, 1993.

ahora. Por lo tanto, aunque te haya parecido malo, fue bueno porque has crecido a través de ello; fue la lección que tuviste que aprender. Lo importante es que ya pasó y que hoy se te presenta la gran oportunidad de hacer los cambios necesarios para que todo sea diferente.

Toma la gran decisión, no hay riesgos porque estás accionando a tu poder que obedece de manera fiel a lo que ahora conscientemente deseas experimentar. Conviértete en la persona maravillosa, triunfadora, rica y exitosa que realmente eres y que es tu derecho Divino. Serás capaz de relacionarte con amor y en total enriquecimiento con los demás porque, ineludiblemente, siempre que te relacionas con otro estás haciéndolo contigo mismo pues todos conformamos una misma unidad con el Todo —Dios.

Empieza a reconocer quién realmente eres, no sólo como un ser humano y limitado. Lo más importante es que te des cuenta que eres un ser espiritual e ilimitado. Si crees y de verdad aceptas que eres *"Hijo de Dios, creado a Su imagen y semejanza"* entonces estamos hablando de lo espiritual en ti, no de lo físico. En lo espiritual es donde radica el poder para crear tu pequeño mundo —el mundo que te rodea.

Amarte es lo único que te garantiza poder amar a tu prójimo como a ti mismo. Ama a todas las personas sin condiciones, sin excepción, y ama a todo el mundo como te amas a ti mismo. El amor Divino en ti no es un sentimiento egoísta, débil o enfermizo; es toda fortaleza y plenitud y se expresa sólo a través de ti cuando tú lo reconoces y lo externas. Hacerlo te garantiza que retornará a ti multiplicado en infinitas bendiciones. ¡Atrévete a probarlo!

Cada persona tiene en sí misma suficiente sabiduría y fortaleza, así como el valor y la creatividad para resolver su propia vida y vivir felizmente y con abundancia —a plenitud. Amar a otros es una forma de apoyarlos mentalmente y al expresarles este sentimiento con palabras y obras harás que ellos se descubran a sí mismos y se conviertan igual que tú en maravillosos, grandiosos, prósperos, ricos y exitosos.

Una persona triunfadora es perseverante, paciente y practica la dádiva sabiendo que su provisión proviene de la Única Fuente que es Dios. Sabe que todo lo que sale de sí misma con amor, siempre regresa multiplicado. Cuando diezma sabe que simplemente está regresando a su Fuente la décima parte de lo mucho que le ha dado y que esto también regresa multiplicado más de diez veces. Ella, igual que el agricultor, sabe que al recoger su cosecha y separar la mejor semilla para luego retornarla a la tierra, su siguiente cosecha será mayor. Esto no falla, es una Ley natural que responde a todos por igual porque es universal.

Para actuar con eficacia y dinamismo en el mundo en que vives ahora es necesario desarrollar la paciencia y así llegar al éxito. Ser paciente no es ser conformista, ni aguantar la desdicha pasivamente. Debes tomar alguna acción para alcanzar la paciencia.

La paciencia te lleva a ser perseverante porque una persona paciente siempre persevera y *"El que persevera, alcanza"*. Si se te cierra una puerta, buscas otra, y si las cosas no salen bien, aprendes algo de ello y muchas veces cambias la estrategia para lograr los resultados deseados.

Ser paciente es saber discernir sobre cómo y cuándo actuar, desarrollando un plan inteligente de acción sin prisa, seguro de lo que quieres y utilizando al máximo los recursos con los que cuentas. La persona paciente escoge siempre la mejor alternativa en el mejor momento.

CÓMO CONSTRUIR UNA CONCIENCIA MILLONARIA

El primer paso en el desarrollo de una conciencia millonaria es examinar cómo estás pensando y sintiendo acerca de las personas que son millonarias. ¿Te da gusto o sientes envidia? Financieramente, ¿dónde te encuentras ahora? ¿Acaso estás conforme con lo que tienes? ¿Te sientes más o menos que otros? ¿Te gustaría estar donde mismo dentro de unos años?

- Si sientes envidia porque otros tienen más que tú, inconscientemente estás alejando lo que más quieres. Es una Ley cósmica.

- Si te alegra el triunfo y el progreso de otros, es bueno porque todo lo que sale de ti regresa a ti multiplicado. Es una Ley cósmica.

- Si estás conforme con lo que tienes ahora y no aspiras a tener más, indudablemente así será. Es una Ley cósmica.

- Si te crees superior o más que otros, alguien te humillará y te hará sentir como tú has hecho sentir a otros. Es una Ley cósmica.

- Si crees que tendrás lo mismo dentro de algunos años, no dudes ni por un momento que así será. Es una Ley cósmica.

Como te habrás dado cuenta, la Ley cósmica que se ha expuesto siempre está dando resultados exactos de acuerdo a tu creencia. Es una fuerza ciega que no razona, no es selectiva, es universal e impersonal. Sólo obedece y crea fielmente sin cuestionar todo aquello que una persona ha creído o aceptado consciente o inconscientemente, bueno o malo, verdadero o falso.

Así pues, si quieres cambiar lo que tienes ahora, necesitas un propósito, un sueño, una meta, un anhelo, un deseo; algo que sea una fuerte palanca de motivación para sacarte de donde te encuentras. No hay casualidades, hay causalidades. Todo lo que te ha sucedido tiene una causa y ésta ha sido mental, es decir, que tu forma de pensar anterior originó tus experiencias o resultados presentes.

Por esta razón, te decimos que si quieres que las cosas presentes cambien, primero debes poner en orden tus pensamientos y deseos. Suponiendo que andas falto de salud y dinero, ¿cómo hacer para cambiar estas condiciones? Utiliza el poder de tu imaginación. Siéntate por unos diez o quince minutos en una silla o sillón donde te sientas muy cómodo y empieza a relajarte lo mejor que puedas. Si tienes algún método que te dé resultados, úsalo ahora.

Olvídate por el momento de las condiciones que te aquejan o problemas que tengas, procura dejar libre tu mente de toda preocupación. Imagina que gozas de una salud perfecta y tienes dinero suficiente para disfrutar la vida. ¿Cómo actuarías? ¿Estarías preocupado por tu salud? ¡Claro que no! Porque estás completamente sano. ¿Te preocuparían tus compromisos de dinero o finanzas? ¡Claro que no! Porque tienes suficiente dinero a tu disposición y financieramente te sientes libre, próspero y rico.

Luego, ¿qué harías? Por medio de esta técnica de la visualización debes linear tus sueños porque todo aquello que puedas "ver" con tu vista interna —imaginación— significa que ya existe en ese mundo espiritual que no ves, y a través de este método, lo traes a su manifestación objetiva. El propósito acompañado de un cambio estructural de tus actitudes, pensamientos y creencias te llevará al éxito sin lugar a dudas.

Los sistemas de creencias que llevas dentro no son más que el conjunto de opiniones, convicciones y criterios que has adquirido a través de los años y que tienes registrado en el almacén de tu memoria —la mente subconsciente. Este sistema de creencias gobierna tu vida en todo momento. Indudablemente, es tu creencia acerca de ti mismo lo que determina el éxito o fracaso en tu vida.

Tienes que darte cuenta que es tuyo el potencial para tener prosperidad, riqueza, éxito y felicidad porque está dentro de ti. No tienes que buscarlo fuera ni pedírselo a alguien ni bien hacer algo para obtenerlo. Es algo inherente a ti y a todos. Si no lo has exteriorizado es porque no lo habías reconocido; has buscado afuera lo que llevas dentro.

Todos tenemos las capacidades, cualidades y talentos necesarios para triunfar en la vida, pero si tu sistema de creencias te dice lo contrario, seguramente actuarás de acuerdo a como crees y es lógico que te resistas a creer lo que ahora estás sabiendo. Entonces, lo que debes hacer es

probarte a ti mismo porque nada pierdes y sí tienes la oportunidad de ganar si te pones a prueba por un tiempo —dos
semanas, pero hazlo sin interrupción.

Afirma durante todo el día y antes de quedarte dormido:
"Yo ahora tengo riqueza, éxito, salud y paz mental". Me-
moriza esta poderosa afirmación y te hará el "milagro".
Nosotros no lo llamamos milagro porque sabemos que la
afirmación no interfiere con nada ni con nadie para obtener lo que queremos, además, sabemos que hay un poder
interior que está cambiando nuestras falsas creencias por
la nueva verdad que conocemos y aceptamos conscientemente.

Este poder hace realidad la verdad absoluta que recla-
mamos como Hijos de Dios aquí y ahora, nuestra herencia
Divina.

Para tener éxito en todos los campos de la vida, tienes
que cambiar las creencias de fracasos por éxito, pobreza
por riqueza, desdicha por felicidad, enfermedad por salud
y limitación por vida abundante. Si tienes pensamientos y
creencias altas acerca de ti mismo, te llevarán a la acción
correcta con resultados exitosos.

Olvídate de pensar "no puedo", "no tengo" o cualquier
limitación pues te llevarán a actuar sin entusiasmo y, como
van mal dirigidos por tus miedos, los resultados serán negativos. Acuérdate que el poder en ti no tiene la capacidad
de rechazar algo que hayas elegido tener, sólo te dará el resultado de tu creencia.

Para mantenerte en el éxito, es imperativo lograr un
cambio estructural en los pensamientos y creencias acerca
de ti mismo para que tu ciclo sea siempre de éxito. La ma-

nera más apropiada para cambiarlos es utilizando métodos o técnicas que te ayuden a mantenerte siempre conectado con Dios, el eterno dador —la Única Fuente de provisión, incluyendo dinero. El "silencio mental" o meditación y la "afirmación positiva" son los más recomendables.

En la meditación no "pides", simplemente lo haces para entrar en comunión consciente con la Única Fuente que todo lo sabe, y como dicen las Escrituras, *"Antes de que pidas, te será dado, porque el Padre sabe de qué tienes necesidad"*.

Jesús lo puso a prueba y logró su unidad consciente con *"El Padre en mí"*, como él llamaba a Dios, logró hacer grandes cosas y dijo que así como él lo había logrado, nosotros también podemos hacerlo pero que debemos tener la misma fe, creencia y convicción que él tuvo hasta conseguirlo.

Esto significa que todos tenemos las mismas oportunidades, las mismas posibilidades, porque la mente que usó Jesús es la misma que todos tenemos si nos damos cuenta que sólo hay una —somos individualizaciones de esta Única Mente. Puedes usar el mismo Poder que él si comprendes que es universal.

Si analizas que hay Un Solo Dios, Padre de todos, quiere decir que como Hijos del Creador poseemos Sus cualidades y virtudes; estamos hablando de la esencia que es Dios —Espíritu puro— y lo que realmente somos. No estamos hablando de grandeza sino de tu verdadera Realidad la cual es espiritual, porque a lo que llamas alma o espíritu en ti hace que te muevas. El Apóstol San Pablo lo entendió y por esta razón dijo: *"En Dios vivimos, nos movemos y tenemos nuestro ser"*.

A través de la meditación puedes cubrir los requisitos que el Gran Maestro siguió para lograr su completa unidad con Dios. Lo dijo de esta manera: ***"Busca primero el Reino de Dios y Su justicia y todo lo demás te será dado por añadidura"***.

Por eso te decimos que no tienes que pedir nada cuando medites porque al entrar al Reino, automáticamente serás llenado de todo lo necesario para vivir una vida externa plena y feliz.

Claro que se logra la primera vez que lo intentes, pero la práctica constante hará que lo logres. Todos los que hemos hecho contacto con este Reino, lo hemos experimentado en diferentes formas, además ha sido a través de nosotros mismos. Nunca nadie lo ha logrado a través de algo externo, a través de alguien o de algo porque Dios es personal para cada cual.

Claro que te ayudan los maestros, los libros y el conocimiento que obtienes a través de diferentes fuentes, pero Dios se comunica contigo y tú con Él a través de tu mente –que es parte de Su Mente- o pensamiento. Él no te habla en algún idioma o lengua extraño porque si así fuera, entonces habría confusión en ti y Él es Sabiduría.

La afirmación positiva es una forma de autosugestión. Significa afirmar algo específico y definido que quieres lograr antes de tenerlo. También es una forma de usar la fe en forma positiva ya que la fe es una actitud mental, *"Es la evidencia de las cosas que aún no vemos"*. La afirmación hace posible que, con base en la repetición, crees conscientemente aquello a lo que estás dándole atención o enfoque con dicha afirmación. Asimismo es llamado llenar el *"equivalente mental"*.

O sea que también es la forma de llenar el *"molde mental"* interno para que pueda haber expresión externa. Vamos a dar un ejemplo. Supongamos que deseas hacer un viaje o tomar vacaciones. Haces esto —tu deseo— utilizando el nivel consciente de tu mente. Pero si en tu parte inconsciente —llamado también nivel subjetivo— no existe el equivalente para dicho propósito, entonces no habrá realización.

La razón es la siguiente, tal vez dentro de ti está sentada la creencia de que no tienes el dinero suficiente o que debido a la falta de personal en donde trabajas no puedes tomar vacaciones, aunque puede haber más "imposibles", estas dos posibilidades son suficiente para que no puedas realizar tu deseo.

Aquí es donde debes usar la técnica de la afirmación positiva para que nada interfiera en la realización de tu deseo. Siguiendo con el ejemplo de las vacaciones, primero analizas: He trabajado todo el año sin fallar, he puesto mi mejor empeño en cooperar con la empresa cuando así lo requiere, he dado algunas sugerencias para el mejor desempeño en mi labor y de otros y ha dado buen resultado, en otras palabras, sí soy acreedor a disfrutar de mis vacaciones y nada puede impedir que las obtenga.

La anterior es una actitud positiva de fe para trabajar mentalmente, o sea, visualizando tu deseo antes de disfrutarlo. El próximo paso a seguir es:

• Siéntate cómodamente en un lugar tranquilo, donde nadie te interrumpa mientras dure tu visualización —tal vez sean unos cinco o diez minutos. Cierra los ojos para que nada de lo externo interfiera en la realización del deseo, empieza tu trabajo trayendo a la pantalla de tu mente todo lo relacionado con él.

• Obsérvate yendo a una agencia de viajes para ver los lugares más convenientes o apropiados de veraneo. Una persona muy amable te atiende y te muestra los "paquetes" que ofrece la compañía. Entonces tomas la decisión del lugar y le dices "hágame la reservación de 'éste'", señalándole cuál. Luego le extiendes un cheque por el anticipo y le dices "en una semana o antes le traigo el resto". Sales feliz de la agencia y comienzas a arreglarlo todo, te diriges a los almacenes donde venden ropa especial para la playa y accesorios necesarios para que nada te falte. Ya tienes todo listo y te ves en el aeropuerto para abordar el avión que te llevará al lugar elegido.

• Ya estás instalado en el hotel y te arreglas para irte a la playa. La diversión empieza, te ves entrando al mar y rompiendo pequeñas olas o sentado simplemente observando el maravilloso panorama bebiendo tu refresco preferido. Procura hacer estas imágenes lo más claro posible y acepta que todo es una realidad ¡ya!

• Toma en cuenta que entre más claras estén estas imágenes en tu mente —tu nivel consciente— y una vez aceptado plenamente, es decir, sin duda alguna y con toda la seguridad del mundo, entonces toda esta información pasará o será grabada en tu mente subconsciente donde comenzará el proceso de realización.

Como habrás observado, en ningún momento pensaste o supusiste que no podrías realizarlo o que no tenías dinero suficiente para ello. No interferir en cómo sucederá la obtención del dinero y todo lo necesario para realizar tus deseos es la clave. ¿Cómo interfieres? Cuando piensas negativamente como: ¿en qué forma voy a obtener el dinero?, ¿me darán mis vacaciones cuando las solicite?, ¿será posible hacer realidad este sueño? Tal vez otros lo logren, yo no puedo, etcétera.

En esta forma de visualizar es como estás llenando tu equivalente mental inconsciente para que no haya discrepancia con el consciente. Una vez de común acuerdo ambos niveles de tu mente, entonces el poder en ti comienza a crear y acomodar las cosas y los medios necesarios sin ningún esfuerzo, todo a su debido tiempo y en la forma más natural del mundo. Y así como realizaste este deseo, puedes realizar todo lo que quieras tener para sentirte en realidad próspero, sano y rico permanentemente. Suena simple, ¿verdad? Pues no lo dudes, así de simple es. ¿No lo pondrías a prueba para realizar algún deseo? *"ATRÉVETE A CREER Y TE SERÁ DADO DE ACUERDO A TU CREENCIA, FE, ACEPTACIÓN Y CONVICCIÓN"*. Que vivas siempre provisto de lo mejor es una Ley cósmica.

Tus sueños son los deseos más profundos del Ser verdadero en ti y son los deseos de vivir una vida plena, sin limitaciones, lo que toda persona sin excepción merece. La palabra "deseo" viene del latín y significa "de Dios", por lo tanto, en todo deseo que tienes es Dios quien quiere expresarse a través de ti. El deseo es el punto de partida para crear nuevas condiciones y mucho dinero para vivir sin preocupaciones económicas.

CÓMO ACONDICIONAR LA MENTE
ACERCA DEL DESEO

Para que manifiestes dinero en tu vida es necesario "desearlo", dicho deseo no debe ser egoísta, tampoco debe ser sólo para tener dinero y que te sientas rico. Debes saber y entender que el dinero es bueno y es necesario para resolver necesidades financieras, además tener siempre suficiente dinero es un derecho Divino, ya que el Eterno Proveedor –Dios- no te limita.

Además, debes acondicionar tu mente para estar en la mejor disposición de recibirlo, asimismo sentirte merecedor de tener todo el dinero que deseas manifestar. Recuerda que desear mucho dinero y pensar en tenerlo en abundancia puede ser el comienzo para manifestarlo. No obstante, es necesario desearlo verdaderamente, sabiendo en tu mente y corazón que la Fuente de provisión es el Creador y que Él tiene muchos medios para hacértelo llegar.

Muchos de tus sueños no se hacen realidad por la indiferencia que les das y por la falta de ambición y acción acerca de los mismos. El deseo ardiente de ser saludable, próspero y rico, lo cual incluye la manifestación de todo el bienestar que mereces y todo el dinero que necesitas para lograr tus más altos propósitos, es un estado mental fundamental para tener todo esto y experimentar éxito en todas las áreas de tu vida.

La prosperidad y el éxito, así como la producción de mucho dinero, tienen un precio y es el compromiso que haces contigo mismo como:

- Ser perseverante, tener y dar mucho amor.

- No permitir que nada ni nadie te perturbe en tus propósitos y dádivas.

- Mantener relaciones sanas y armoniosas contigo y con los demás.

- Sonreír siempre a la vida, aún ante las adversidades o retos que encares.

- Ser siempre independiente mental, emocional y económicamente.

Para lograr todo esto tienes que empezar por lograr tener paz contigo mismo y con los demás; conocerte mejor al llevar una estrecha relación con tu persona; valorarte, estimularte y así mantener una mente clara para poder aceptar todo lo que el Universo te ofrece: riqueza, éxito, salud y paz mental.

ES NECESARIO FIJAR METAS

¿Porqué es necesario fijar metas? Porque asumir este propósito te lleva a la realización tus sueños; es más fácil realizarlos cuando los planificas mentalmente con anticipación.

Por ejemplo, en 1953, en la Universidad de Yale (EU) se llevó a cabo un interesante estudio con la clase recién graduada. La investigación duró veinte años y se obtuvo como resultado lo siguiente: El 3% de los graduados tenía sus metas definidas, trazadas y escritas. Tiempo después, el tres por ciento se convirtió en personas con éxito y en términos financieros era mucho más próspero que el 97% restante.

Este estudio demuestra la importancia de fijarse metas para lograr todo lo que quieres.

De igual manera, que te conviertas en una persona productiva y exitosa en todas las áreas de tu vida, ya sea en relaciones con los demás, en tu centro de trabajo, hogar, salud y desde luego en el aspecto financiero.

Trazar metas tiene un efecto muy potente en tu mente pues pone en acción todos los mecanismos internos y externos necesarios para que tus sueños se hagan realidad en el tiempo más corto, correcto y perfecto. El espíritu que te sostiene, que es el Poder Creativo interno, no está sujeto al tiempo ni conoce obstáculos para realizar todo aquello que has forjado mentalmente.

No demores más tu prosperidad, riqueza y éxito.
Acuérdate que no dependen de Dios sino de ti
porque Él ya te ha dado todo lo necesario
para que lo realices ¡Aquí y Ahora!

Capítulo 4

CÓMO OBTENER ÉXITO
EN LA VIDA

Para obtenerlo necesitas enfocar la atención en reconocer quién verdaderamente eres. Como dice el viejo refrán griego: "Hombre, conócete a ti mismo". De igual manera, primero debes reconocer y comprender quién eres para entonces conocer y reconocer a los demás y todo lo que te rodea.

Reconocer que todo lo que ves objetivamente procede de ese mundo que no ves, el mundo espiritual. Por eso debes saber que todos somos una expresión del Creador, una individualización del Todopoderoso. Esta comprensión es lo que comienza a ser tu éxito en la vida.

También el éxito depende de aceptarte a ti mismo. Esta aceptación no se refiere a lo que aparentemente eres sino a la esencia de tu verdadera identidad como ser espiritual, poseedor de sabiduría y poder suficientes para ser co-creador con el Poder Único.

Pocos saben del significado correcto de la palabra "responsabilidad"; es la habilidad de responder a la propia vida —que es Dios individualizado en cada uno de nosotros. Es ser verdaderamente una expresión perfecta de lo que la vida es y desea ser a través de ti.

Es abrirle el camino, es decir, tener fe para no preocuparte y mantener tu confianza estando tranquilo, sereno, relajado, abierto y receptivo a la Guía Divina. Así, bajo esta Guía, harás calmadamente y sin presión los cambios que necesitas hacer. Al mantenerte conectado con la Sabiduría Divina siempre serás invulnerable y entonces podrás hacer dichos cambios con prontitud y acierto.

Cuando llegues a encontrar algunas fallas, sabrás que éstas son humanas y las corregirás con facilidad y sin juzgamiento. Guiado por esta Sabiduría lo harás sin dificultad porque sabrás que *"Quiero, puedo y lo hago"*. Además, esto te hace estar más alerta y consciente para no volver a cometerlas si es que fueron tuyas.

La oración científica usada por Jesús sigue vigente en nuestros días. Si la sigues al pie de la letra como él nos enseñó, lograrás sin demora todos tus objetivos. Analiza estas declaraciones hechas por él: *"Cuando ores, cree que recibirás y así será... Te será dado en la medida en que tú lo creas... Cuando ores, ve a tu lugar secreto y el Padre que ve en lo secreto te premiará abiertamente...Busca primero el Reino de Dios y Su justicia, y todo lo demás te será dado por añadidura... Es el placer del Padre daros el Reino"*.

No puedes pasar por alto todas estas declaraciones. Son tan efectivas como lo fueron para el propio Maestro y también dijo: *"El Cielo y la tierra pasarán, pero mis palabras no pasarán"*. Ahora te toca probarlo y convencerte por ti mismo, no tratar de convencer a otros de que aún son verdaderas.

Por la falta de información acerca de lo espiritual en nosotros, lamentablemente hemos dado más importancia a lo externo —los efectos. Por ejemplo, en lo que respecta a nosotros, hemos dado más enfoque a nuestra humanidad y personalidad, sin darnos cuenta que sólo somos una expresión. En su libro *Jesús; El Gran Maestro Metafísico* el Prof. José De Lira Sosa dice que eres una trinidad a través de la cual se manifiestan tus pensamientos en forma de experiencias, eventos o cosas.

En la página 67 dice: *"¿Cómo podemos definir metafísica o espiritualmente la trinidad en nosotros? Espiritualmente eres una individualización de Dios. Físicamente eres esa expresión humana como hombre o mujer. Si deseas saber el misterio del Ser, mírate a ti mismo y acepta que primero eres un ser espiritual antes que físico-material. Si ves separada a la 'Santa Trinidad' como la han simbolizado dentro del catolicismo, te conviertes en un simple espectador. Sin embargo, si aceptas que eres una trinidad —unido, no separado— entonces te conviertes en un canal de expresión de Dios".*

Y en la página 68.3 dice: *"En nuestro estudio metafísico, reconocemos que todos somos una trinidad identificada como Espíritu, Alma y Cuerpo; Espíritu Mente y Cuerpo; o Pensamiento, Creación y Manifestación, cualquiera que sea el nombre que se le dé o reconozca. También es de suma importancia que sepamos que no existe separación entre estas tres partes; son una. Cada una tiene su propia función específica, pero las tres son necesarias para una completa expresión".*

Como puedes concebir, se nos ha enseñado más a ver la expresión —la tercera parte de nuestra trinidad, considerada también como manifestación o expresión del espíritu— o bien, los efectos de la causa, que es lo espiritual, y lo hemos hecho así porque esa fue la información que recibimos o porque hemos visto que "así es la vida".

Sin duda, has vivido dando pasos equivocados al dar más enfoque a la personalidad que a lo espiritual, al tratar de encontrar lo que necesitas en lo externo —sin saber que dentro lo tienes todo- al hacerlo de afuera hacia adentro sin darte cuenta que la vida se vive de adentro hacia afuera, porque *"Como es por dentro es por fuera".*

Inconscientemente quizá hayas hecho lo siguiente: Si te invitan a una reunión formal importante o a una fiesta de gala, indudablemente no asistirías usando ropa casual o sport. Te arreglarías muy bien, te pondrías lo que se requiere en estos casos puesto que está de por medio tu personalidad.

De igual manera, si tuvieras una entrevista con el Gobernador, no te presentarías vestido con harapos, ¡claro que no! Te pondrías tu mejor atuendo, de acuerdo al suceso porque sabes de antemano que correrías el riesgo de que no te dejaran entrar si fueras mal vestido, o te harían esperar horas para luego decirte, con miles de excusas, que no podrán recibirte.

En ambos casos se da enfoque a la personalidad —lo externo, lo humano y limitado en ti. Si deseas tener éxito en tus relaciones con los demás, lo más indicado es no ver la personalidad en ellos, sino lo que realmente son: seres espirituales igual que tú. El hecho de que hayan llegado a cierta posición o tengan determinado rango, no quiere decir que sean más que tú.

Tal vez algunos lograron el éxito gracias a su dedicación para prepararse y así alcanzar sus metas o propósitos. Tú puedes hacer lo mismo si te lo propones. Tal vez pienses que no tienes posibilidades porque eres muy pobre o porque no tuviste estudios ni educación. Pero te decimos que se ha demostrado con hechos que nada puede impedir que una persona logre su superación, alcance el éxito y cumpla sus objetivos en la vida.

Te daremos un ejemplo sencillo para que lo analices, reflexiones y saques tus propias conclusiones al respecto.

Seguramente has escuchado alguna vez la historia del Lic. Don Benito Juárez (1806-1872), llamado el Benemérito de las Américas, quien dijo la célebre frase "El respeto al derecho ajeno es la paz". Político liberal mexicano. Nació en Guelatao, Oaxaca, de origen indígena zapoteca. Huérfano, se trasladó a la ciudad de Oaxaca para aprender el español y estudiar con unos tíos. Ejerció la profesión de abogado y ocupó diversos puestos importantes en la política, fue Presidente de la Nación. Sostuvo la Constitución de 1857 que estableció la separación estado-iglesia. Enfrentó con valentía la invasión francesa al derrotar al ejército de Napoleón III y esto le otorgó el título de **Benemérito de las Américas**.

Si te interesa la historia de este ilustre patriota mexicano, busca en alguna biblioteca más información al respecto. Lo que queremos decirte es que él, siendo un indígena y huérfano de padres, aparentemente sin posibilidades —no hablaba ni siquiera español. No hay duda que dentro de él había ese "algo" que todos llevamos quien lo sostuvo y lo mantuvo siempre con el espíritu en alto para lograr tener éxito en todos sus propósitos y metas en la vida.

Así como este hecho, tal vez tú conozcas algún otro caso porque no es el único. Al momento de escribir este libro, recién terminaron los Juegos Paralímpicos en Sydney, Australia y en ellos vimos a todas esas almas que han luchado y logrado destacar en la vida incluso con la falta de miembros en sus cuerpos, algunos casi mutilados por completo como el del mexicano Juan Ignacio Reyes.

Este caso es el que más nos impactó. Es un joven de 18 años de edad y, a pesar de carecer de ambos brazos y una pierna, él ha conquistado 70 medallas y diversos trofeos en natación.

El ser humano nació para tener éxito en la vida porque fue diseñado para ello y se le dieron las potencialidades necesarias mediante un poder creador interno, capaz de elevarle a alturas inconcebibles. Pero hasta ahora no ha hecho un uso muy inteligente de este poder infinito dentro de él. No obstante, en muchos casos las hazañas del hombre han llegado a lo sublime como ya se mencionó.

Otro ejemplo es el caso de Hellen Keller, quien se elevó sobre la sordera, la ceguera y la mudez, expresó su personalidad y la grandeza de su alma mediante un instrumento físico dañado. Ella fue y sigue siendo una inspiración para toda la humanidad. No hay duda de que fue una triunfadora.

Y qué decir del genio de la electricidad, Steinmetz, quien nació con la cabeza deforme, jorobado y con un cuerpecillo frágil. Pero en la cabeza deforme se albergaba un gran cerebro a través del cual el "genio" interno era el que lo inspiraba. Los que le conocieron decían que él perdía la conciencia del cuerpo, pues la brillantez del hombre lo desvanecía.

Podemos incluir en esta lista al gran genio de la música, Ludwing Van Beethoven, a quien la naturaleza le dio un rostro nada hermoso y un defecto fatal para todo el que aspirase a escribir música. Beethoven perdió el oído, sin embargo, su mente —el genio espiritual en él— le inspiró a crear la música más noble y bella que se ha escrito. Música que vivirá eternamente y traerá alegría a las generaciones futuras. Pocas son las personas que saben que él nunca escuchó una sola nota de su más grande obra, la Novena Sinfonía en Re Menor Opus 125 "Coral". Sin duda, este gigante de la música escuchaba con sus oídos espirituales y por esta razón, tuvo éxito en su carrera como compositor.

Miles de hombres y mujeres que han apelado a "ese algo" interno, han superado todas las apariencias, circunstancias, funciones y actividades adversas en sus vidas, a pesar de que cuando llegaron a este mundo, la gente las consideró "poca cosa" y muchos estuvieron en su contra, creyeron que eran inútiles para el logro de cualquier éxito.

Sabemos y estamos plenamente convencidos de que el hombre no ha sido lanzado a la deriva a este mundo para ser una víctima de las circunstancias y de las fuerzas más allá de su control. Por el contrario, en su conciencia interna posee todo el poder suficiente para el dominio de sí mismo y no tiene que tratar de dominar a los demás, pues nunca podrá lograrlo y podría causarle muchos inconvenientes.

El hombre tiene que ser muy respetuoso de la libertad que todos poseemos y no interferir con este derecho Divino que el Todopoderoso nos dio a todos por igual. Por consiguiente, tu trabajo consiste en descubrir y aprender a usar correctamente tu propio poder para el logro de tus deseos y anhelos. ¡Este es el gran secreto!

Debes de entender que a través de los procesos mentales puedes extraer lo que externamente necesitas para vivir una vida placentera, rica y feliz. La vida fue creada que la vivas sin problemas, sin ansiedad, sin temores, sin carencias ni limitaciones; en sí, una vida plena. Lo anterior se consigue cuando permaneces tranquilo, sereno, relajado, en paz y armonía. En armonía contigo mismo y con todos los demás.

Ten mucho cuidado con los juicios y juzgamientos acerca de la riqueza de otros pues no te beneficia, por el contrario, aleja lo que quieres. Tal vez digas "pero es que esta persona obtiene su riqueza en forma deshonesta o abusando de la necesidad de otros". Que te baste saber que dentro de cada uno hay una misma Ley mental que constantemente da resultados de acuerdo a tus actitudes mentales y comportamiento acerca de ti mismo y de los demás.

Entiende bien esto: lo que sale de ti, regresa a ti multiplicado. Así de sencillo trabaja la Ley mental, de la cual nadie puede escapar porque es parte de cada uno. La ignorancia de ella no te exime del resultado, bueno o malo.

Se nos ha dicho que Dios es personal para cada cual y por esta razón debes buscar el medio correcto para hacer contacto con Él, para recibir Su guía y nunca fallar en tus decisiones. La forma más conveniente que hemos encontrado es la meditación y sólo puedes hacerlo tú, nadie puede hacerlo por ti.

Alguien puede orar por ti y es de gran ayuda para seguir avanzando en tu crecimiento y desenvolvimiento espiritual, asimismo para salir delante de las situaciones o condiciones que estés experimentando y requieras ayuda de otros; pero el encuentro que deseas tener con el Creador sólo se consigue a través del proceso de la meditación.

Hasta ahora, no se ha sabido de alguien que lo haya logrado por medio de algún santo o persona considerada iluminada, algún maestro ascendido o libro. Todo lo anterior puede ser inspiración o guía, pero insistimos, Dios es personal para cada cual y en el punto de tu aceptación, fe, creencia y convicción es como puede llegarte la inspiración y así abres el canal de tu intuición por el cual el Eterno Dador derrama Sus bendiciones sobre ti.

No demores más este feliz encuentro si es que no lo has hecho, si ya estás haciéndolo, incrementarás tu bien, y tu fe y confianza aumentarán día con día. Ésta será tu gran realización y *"todo lo demás te será dado por añadidura"* ésta es la promesa.

Aquí tienes **"Diez mandamientos para obtener riqueza y éxito"**.

1. No debes decir que tu Fuente de provisión proviene sólo de lo externo como tu trabajo, negocio o pensión. Afirma de la siguiente manera: ***"YO AFIRMO QUE EL ESPÍRITU DE DIOS EN MÍ ES LA FUENTE INFINITA DE PROVISIÓN Y TODO BIEN QUE INCLUYE RIQUEZA Y EXITO"***.

2. No debes crear una imagen de escasez en tu vida, por el contrario, debes rehusar a hablar de ella, afirma: *"EN MI MENTE YO SÓLO CREO IMÁGENES DE ABUNDANCIA, ÉXITO Y PROSPERIDAD".*

3. Jamás debes hablar de limitaciones. Afirma una y otra vez hasta que te convenzas: *"YO SÓLO HABLO Y EXPRESO ABUNDANCIA DE TODO LO BUENO QUE DIOS TIENE PARA MÍ Y PARA TODOS".*

4. No bloquees o restrinjas el fluir del éxito y la abundancia de lo bueno que existe para ti. Afirma: *"YO DEJO A DIOS ACTUAR A TRAVÉS DE MÍ Y TODOS SUS MEDIOS, Y MI BIEN ME LLEGA SIN DEMORA, EN EL MOMENTO PRECISO Y OPORTUNO".*

5. La honradez es primordial para tu riqueza y prosperidad, afirma: *"YO DOY MI DIEZMO Y DIOS ME PROSPERA RICAMENTE".*

6. No retengas ni quites tu riqueza de la circulación; afirma: *"YO SIEMPRE MANTENGO MI RIQUEZA Y ABUNDANCIA EN LA CIRCULACIÓN Y ELLA REGRESA RÍCAMENTE A MÍ".*

7. Nunca niegues que eres rico y que tienes abundancia. Afirma: *"YO ME SIENTO BIEN ACERCA DE MI RIQUEZA Y ABUNDANCIA, MI DINERO Y EL USO QUE HAGO DE ÉL".*

8. Siembra continuamente en tu mente semillas de riqueza y cosecharás en abundancia, afirma: *"YO RECIBO Y DOY LIBRE Y JUBILOSAMENTE SIN RESTRICCIÓN".*

9. Nunca niegues de dónde proviene tu riqueza y abundancia, afirma lo siguiente: *"YO ALABO, BENDIGO Y MANTENGO ABIERTOS LOS CANALES DE LA RIQUEZA Y LA ABUNDANCIA QUE PROVIENEN DE DIOS".*

10. Nunca codicies lo bueno de otros, por el contrario, alégrate de su riqueza y éxito. Afirma: *"YO SÉ QUE DIOS TIENE ABUNDANCIA PARA MÍ Y PARA TODOS. LA RIQUEZA Y ABUNDANCIA DE TODO LO BUENO VIENEN A MÍ, AHORA".*

Capítulo 5

EXISTEN CINCO REGLAS PARA TENER ÉXITO

¿Cómo identificar estas reglas? ¿Cuáles son los pasos a seguir para identificarlas y así ponerlas en acción y manifestar el éxito? Eso viene a través de la aplicación de las Cinco Reglas que a continuación se mencionan: Humildad, Reverencia, Inspiración, Propósito y Alegría.

Hasta que el hombre no se encuentre a sí mismo, no podrá desarrollar su espiritualidad y mantener control de sí mismo ante cualquier situación o condición que enfrente. El ego personal debe ser eliminado y reemplazado por el Ego espiritual. El "yo puedo, yo lo hago, yo soy mejor" etc., debe olvidarse. Todos los seres humanos lo tenemos y todos pasamos a través de estas experiencias. Así pues, la primera regla es:

1. HUMILDAD. Debes entregarte al servicio de los demás. Estás aquí para ser canal de ayuda para otros. El Creador así lo dispuso y para ello te dotó de todo lo necesario para que Él hiciera las cosas a través de ti. El único ser humano que ha logrado ser esto es el Divino Jesús y lo confirma claramente en su declaración: *"Yo por mí nada puedo, el Padre en mí hace las obras"*. Ésta es la clase de humildad a la que nos referimos; no la confundas con la palabra "pobreza" como muchos han interpretado la frase "los pobres van al Cielo".

Esta falsa creencia ha originado que muchos se hayan limitado y padezcan sin necesidad pues inconscientemente renunciaron a la riqueza. En su ignorancia, algunos culpan a Dios por su miseria sin darse cuenta que ellos mismos bloquean el fluir de su riqueza con una actitud negativa o un vicioso pensar acerca de la pobreza.

Quizá los has escuchado decir: "Ni modo, me tocó vivir así de pobre y tengo que resignarme" "Es una prueba que me ha enviado Dios y tengo que ser fuerte" "Yo sé que este sufrimiento me sirve para alcanzar el Cielo" "Nací pobre y pobre voy a morir" etc. Este pensar es un gran error o, según nosotros, es un "pecado". Hay una frase que dice *"En el pecado lleva la penitencia"*. Lo anterior significa que el llamado pecado no es más que el error de pensar negativamente, lo cual origina la penitencia que seguirá siempre hasta que no cambie su manera de pensar. *"Cambia tu manera de pensar y cambiará tu vida"*, es la fórmula o método correcto. Así de simple, lo creas o no.

Glorificamos a Dios en la riqueza y no en la pobreza. La pobreza no fue creada por Dios sino por el hombre al pensar y creer en ella. La Ley mental sólo obedece fielmente a lo que crees, ya sea verdadero o falso. Sólo actúa de acuerdo y te da un resultado, por lo tanto, la responsabilidad es tuya al escoger, ya sea riqueza o pobreza, abundancia o limitación, éxito o fracaso, libertad o esclavitud, salud o enfermedad. ¿Qué estás escogiendo vivir? Toma en cuenta que a lo que das atención, es lo que experimentas.

Con la libertad o libre albedrío que el Creador nos dio a todos por igual, siempre estás tomando decisiones porque todo el tiempo estás pensando mientras permaneces despierto. Así es que, ¿qué decisión has tomado o estás tomando ahora? No puedes culpar a nadie más que a ti mismo por no haber sabido rechazar todo lo que contradice a tu herencia Divina que es vivir una vida feliz, sin carencias ni limitaciones, rodeado de todo lo bueno. Tu riqueza permanente proviene de tu interior —de tus pensamientos— y se expresa en lo exterior.

2. REVERENCIA. Todo aquel que ha sentido la presencia de Dios sabe que por sí mismo no puede efectuar una venta, escribir un libro o inventar cualquier cosa sin antes guardar una profunda reverencia para quien todo lo hace posible. Sabe y siente que es meramente un interprete del pensamiento Divino, alguien que crea un producto con un propósito adecuado. Si tú sólo observas el producto visible, nada más examinas el efecto de la causa primaria. Si observas con reverencia en dirección a tu interior, quedarás sorprendido con lo que encontrarás. Si estás sólo el tiempo suficiente para entrar en comunión con el Poder Perfecto que hay en ti, escucharás murmullos provenientes de la Fuente Universal, de la Conciencia Total para inspirarte.

En ese "lugar sagrado del Altísimo" que está en tu interior existen mensajes verdaderos y revelaciones que están inspirándote, diciéndote qué hacer, guiándote, mostrándote el camino para llegar a tu Fuente.

Con gran reverencia saldrás desde esta Fuente a través de tu pensamiento para llegar al mundo que llamamos creación y producir tus interpretaciones, eran imágenes que no podías ver en tu mente porque no estabas consciente de ellas. Muy pronto te encontrarás utilizando las fuerzas cósmicas que tampoco podías ver pues estabas trabajando a ciegas, en la obscuridad de la ignorancia.

Cuando entres a tu estudio, lugar de trabajo o donde empiezas cualquier labor, aprende a cruzar el umbral con reverencia, tal como si entraras a un altar, a un lugar aparte donde eres co-creador con la Mente Divina, la cual es la creadora de todas las cosas. No digas, "Yo soy un ejecutivo, trabajador, una ama de casa o secretaria capaz de hacer esto o aquello". Al contrario, debes afirmar: "Yo soy un ser espiritual que sabe pensar y Dios en mí a través de mí lo hace ahora". Cuando lo afirmas, todo llega hacia ti como una inspiración y entonces sabrás que puedes realizar todo y nadie bajo el Cielo podrá decirte que no puedes.

3. INSPIRACIÓN. La inspiración llega a todo aquel que la busca con humildad y reverencia enfocando su atención hacia la Fuente de inspiración que mora en su interior. También sentir amor hacia el trabajo, hacia la vida y reverencia al Poder Universal el cual siempre inspira y da fortaleza ilimitada a quien la pide.

Tal vez puedas sentarte en lo alto del mundo si así lo decides, pero ráfagas de inspiración vienen sólo a aquellos que se conectan con el Universo y llegan a ser armoniosos con sus ritmos mediante la comunión con Él.

Inspiración e intuición son el lenguaje de la Luz a través de la cual el hombre y Dios se *"intercomunican"*. El Universo no tiene favoritos ni hace favores a unos negándose a dar atención a otros. Por el contrario, el Universo da a todos por igual, y llega la respuesta apropiada cuando el deseo no es egoísta sino con el fin o propósito de ayudar a la humanidad.

El deseo es lo que nos conecta con el Poder universal que nos inspira. Por ejemplo, Tomás A. Edison deseó ser inspirado e informado sobre cómo materializar su idea, la cual nos dio la luz eléctrica. Encerrándose en silencio dentro de su templo obtuvo la inspiración poco a poco, mediante destellos que gradualmente fueron la respuesta a su súplica.

"Busca y encontrarás, pide y recibirás, toca y se te abrirá; porque todo aquél que busca, encuentra y el que pide, recibe y al que toca, se le abre". Es la promesa, por lo tanto debes hacer tu pedido por ti mismo. Nadie podrá hacerlo por otro porque cada cual sabe lo que en verdad quiere.

Muchos piensan que sólo ciertas personas están "en gracia" o son llamados "hijos predilectos" de Dios porque siempre los escucha. Pero eso no es verdad.

Si fuera cierto, el Creador no sería justo ni sabio y sabemos que Él es todo amor y bondad. Así pues, cada uno debe encontrarlo por sí mismo. La única manera de hallarlo es estar a solas contigo mismo muchos intervalos de tiempo para dar oportunidad a tu voz interior de hacerse audible sólo para ti, en un lenguaje que sólo tú puedes reconocer. *"Aquí Yo estoy dentro de ti, expresándome como tú".* Esta es la voz del silencio, la voz de la naturaleza, la cual le habla a todo aquel que desea escucharla.

Enciérrate en tu habitación o ve solo a un bosque. Cuando estás a solas, el Poder universal te habla con ráfagas de inspiración. Súbitamente descubrirás que ahora sabes cosas que antes no conocías. Todo el conocimiento existe en la Mente-Dios y está expandido dentro de este Universo eléctrico de expresión creativa y llega a ti a través de tu deseo.

El conocimiento es tuyo si lo pides. Tú lo tienes, pero debes reconocer que estás inmerso en él, no fuera de él. No tienes que aprender nada, en realidad, lo único que tienes que hacer es unirte con él. Él es tu herencia Divina.

En cada hombre, no importa cuán humilde sea, Dios está manifestándose. Cada hombre debe ser digno mensajero para manifestar de su Fuente lo mejor de sus habilidades, tanto el intendente de una industria como el presidente. Cada cual haciendo su propia función.

Esta constante realización de unidad con el Poder universal te mantiene con una inspiración muy elevada, por lo tanto, te aíslas de miles de distracciones que te apartan de tu propio diseño de vida y te protegen de las tentaciones mezquinas, de la enfermedad y de aquellas personas que intentan causarte daño, constantemente provienen de aquellos que aún no están en comunión con Dios.

Creemos que tal constante realización te ennoblece de inmediato. Al crecer espiritualmente, tu estatura es más grande, tus pasos más elásticos y tu aura más poderosa. Eso hace que otras personas vean esa Luz en unos ojos que atraen a la gente que también lo ha logrado.

4. PROPÓSITO. Quizá te preguntes cómo hacer para lograr semejante transformación dentro de ti. La respuesta es con un propósito profundo y firme. Los hombres de éxito en las diferentes épocas han aprendido a multiplicar todo mediante la acumulación de energía del pensamiento dentro de un alto potencial y su uso en la dirección del propósito determinado.

Un ejemplo de esto es el siguiente: Veamos lo que hace la acumulación de pólvora detrás de una bala. La carga puede ser usada para un propósito determinado o dispararse inútilmente. El sabio cazador conoce todo esto y sabe que cada elemento contribuye al éxito de una cacería.

El cazador se preparó durante días en cada uno de los detalles necesarios para obtener el éxito anhelado. De la misma manera, tú debes usar tu propia energía, conservarla y aislarla de todo desperdicio. Asimismo, debes enfocarla directamente en la dirección correcta del propósito elegido.

El pensamiento humano es un estado dinámico en movimiento que concibe modelos, formas e imágenes en el Universo uniforme del espacio y creas mediante los patrones de pensamiento o ideas que llamamos *"concepciones"*, después concentras tu dinámica energía pensante en la materialización de las formas. Si te lo propones, puedes llegar a ser un gran o pequeño creador si la intensidad de tu deseo es grande o pequeña.

Cuando requieres más energía eléctrica para cierta área en tu hogar o fábrica, lo que haces es usar un cable más grueso que llevará una corriente más alta. De igual forma, puedes multiplicar tu poder mental utilizando tu imaginación —al aceptar en tu mente que tu propósito es un hecho— con un profundo sentido de gratitud por la realización.

Cada hombre coloca sus propias limitaciones de acuerdo con su propio deseo. Él puede ser un cable delgado que concentra poca energía y conducir una corriente débil, o ser un conductor fuerte. Esto es verdad acerca de toda la energía solicitada al Universo por todos nosotros. Existe energía en cantidades ilimitadas, pero cada uno instala el calibre y la clase de cable.

5. ALEGRÍA. Tal vez te sorprendas cuando te digamos que el principio compensatorio de balance por el cual te retroalimentas con nueva energía mental, después de que la has utilizado en alguna empresa o realización exitosa, descansa en las simples cualidades de tu conciencia que se conocen con los nombres de alegría, felicidad, intuición, entusiasmo, inspiración efervescencia y por la culminante de todas las palabras, *éxtasis*.

Piensa en esto: Qué simple es saber que la alegría de un logro te recarga con la energía balanceada para tu siguiente realización. Si no tienes alegría o felicidad en el desarrollo de tu trabajo y encuentras en su lugar un trabajo penoso y cansado, te fatigarás al hacerlo debido a la desvitalizante descarga de energía que te ha causado ese trabajo.

A medida que los años transcurren, tu mente empieza a embotarse por esa constante desvitalización o descarga de energía y tu cuerpo va desintegrándose prematuramente. En el periodo de tu vida donde deberías tener una gran vitalidad, empiezas a caminar como un muerto viviente.

Lo anterior es totalmente ridículo pero es el resultado de la ignorancia del hombre al no conocerse a sí mismo —al no comprender que no solamente es humano sino que antes que nada es espiritual— y de su relación con el Universo eléctrico de ilimitada energía que está bajo su mando.

La mayor alegría está dentro de tu propia conciencia. La mayor fuerza está en la recarga de la energía de tu pensamiento. Y esa es la razón por la que hemos definido con la palabra *éxtasis*. El hombre extático es el más dinámico, el más callado y el más discreto de todos los hombres.

El éxtasis es un estado mental que hace a un hombre inspirado tan supremamente feliz en su concentración mental que prácticamente está ausente de todo lo que gira a su alrededor —nada le perturba— pero está profunda y vitalmente concentrado en todo lo relativo a su propósito.

Todos los grandes compositores, escultores, pintores e inventores de todos los tiempos tenían una actitud mental extática durante sus intensas horas creativas, de tal forma que millones de cosas mezquinas y triviales causaban un corto circuito con la energía que los rodeaba. Desde ese alto estado mental de éxtasis descendiendo al simple estado mental que llamamos simplemente felicidad o entusiasmo, puedes construir un modelo de presión o poder pensante desde el cual observar cómo se eleva o cae dicha presión.

Por éxtasis también queremos decir júbilo interior, y por júbilo interior nos referimos a esos fuegos de inspiración que se encienden dentro de la conciencia de los grandes genios, fuegos que les proporcionan una incomparable vitalidad de espíritu que rompe las barreras tal como el trigal se doblega ante el viento.

Aquellos que cultivan esa quietud, ese éxtasis inescrutable, ese regocijo interior, pueden escalar cualquier altura y ser líderes en su campo, no importa qué campo sea. Aquél que nunca lo ha encontrado, debe seguir los pasos de quienes así lo hicieron; porque si no lo hace, estará condenado a una vida de oscuridad.

Quienes tuvieron la fortuna de encender ese fuego que iluminaba y que estaba dentro de ellos, fueron los inventores como Tomás A. Edison y Henry Ford. Los compositores de la talla de Chopín, Mozart, Beethoven o Tschaikowsky. Los grandes pintores como Miguel Ángel, Rodeen o Rembrandt. Ellos transportaron sus éxtasis interiores a formas exteriores que fueron y siguen siendo reconocidas.

Ésta es la clase de alegría o júbilo a la que nos referimos. Esta alegría que muy pocos conocen y muy pocos experimentan porque proviene del interior. Los grandes pensadores la encontraron ahí; en el centro de su propio ser.

Aquellos que encuentran esta felicidad interior proveniente del milagro de descubrir el verdadero Ser, el cual está dentro de cada hombre, experimentarán algo aún mayor que el éxito. Para ellos llega la vida triunfante, la vida plena.

El hombre de éxito es alguien a quien se considera que ha tenido éxito en la vida según los estándares modernos que incluyen la acumulación de dinero, propiedades y un honorable lugar en el mundo por su notable desarrollo y riqueza financiera.

En otras palabras, el hombre de éxito es concebido como alguien que acumula valores tomados en cuenta por las compañías dedicadas a hacer encuestas de las grandes fortunas. Pero existe algo todavía mayor que eso; existe la vida triunfal que trasciende todo éxito material. *La Vida Triunfal es aquella que coloca lo que un hombre da al mundo en una expresión creativa, más allá de lo que él puede tomar de las creaciones de otros.*

Cada hombre debería tener una sublime ambición de pertenecer a esa clase de personas. Con un deseo tan grande en su corazón, no habría dificultades ni desequilibrios egoístas, no existiría la explotación del hombre por el hombre, ni el odio, ni la guerra.

Sería grandioso impregnar este deseo en esta nueva era de pensamiento porque permitiría la creación de una nueva raza que marque el siguiente escenario de su viaje desde la jungla o sus comienzos a un total conocimiento de la Luz Divina. Así, la oscuridad de la ignorancia quedaría atrás al realizar estas Cinco Reglas y el nuevo renacer a la libertad daría principio con el nuevo amanecer para disfrutar de la riqueza, el éxito, la salud y la paz mental que por derecho Divino se nos dio a todos por igual.

Capítulo 6

EL PERDÓN;
CLAVE DE RIQUEZA
Y FELICIDAD

El perdón es una de las claves o llaves de la prosperidad y la felicidad permanentes en la vida. El perdón te conecta con el Poder sanador del amor Divino. Puede ser descrito como el *"Ayuno Mental"* de las actitudes negativas que te ayuda a sanar a la mente en error y consecuentemente resuelve todos tus problemas, ya sea físicos, financieros o sociales.

El perdón es una etapa fundamental en el proceso para tu crecimiento y desarrollo espiritual porque sana la personalidad egoísta y de esta manera, pasas de ser humano a manifestarte como realmente eres, un ser espiritual. En este nivel espiritual es donde gozas ampliamente de todo lo bueno que el Divino Creador tiene para ti, Su hijo.

Al llevar a cabo el proceso del perdón eliminas tu personalidad egoísta para vivir solamente en el Amor Divino inherente en todos y cada uno de los seres humanos. Cuando reconoces y comprendes tu herencia Divina como hijo de Dios, entonces ves la identidad con todos tus hermanos —en espíritu, que es tu verdadera identidad.

Cuando llegas a esta comprensión de tu reconocimiento, entonces ocurre en ti la liberación interna emocional. Descubres que no necesitas de otros para ser totalmente próspero. Claro que lo anterior no significa que nunca los necesitarás, desde luego que no. Con el conocimiento adquirido, sabes que pueden ser canales o medios por los cuales prosperes junto con ellos, pero no dependes de ellos para este logro.

La eterna provisión proviene de la Fuente inagotable que es Dios. El Padre Celestial no sólo te provee con abundancia de cosas materiales, sino que te mantiene con una salud radiante y una mente despejada y receptiva para recibir y disfrutar de todas sus dádivas. Al saber esta verdad, entonces te das cuenta que no sólo tú, sino tus seres queridos, tienen la capacidad suficiente para mejorar su vida, lo cual es uno de los más grandes descubrimientos que puedes hacer porque sabes que donde estén, serán provistos de todo lo necesario.

No importa cuán grandes te parezcan los problemas o situaciones, sabes que son sólo parte del proceso del perdón y es ahí donde dejas el control a Dios en ti para que Él actúe y así se solucione cualquier situación. Por ejemplo, si el reto que enfrentas está fuera de tu control, entonces no tienes que preocuparte, sólo debes orar para que Dios se haga cargo de ello, Él sabe cómo solucionarlo a su modo y tiempo perfectos. Si está en ti hacerlo, la Sabiduría interior te dará la idea o formas para lograrlo.

Cuando oras correctamente, entonces siempre recibes la respuesta inmediata. Nosotros usamos esta oración que da resultados positivos y a veces instantáneos: ***"Dios en mí está sobre cualquier situación o condición, no importa la*** *apariencia que ella tenga. Yo ahora estoy abierto y receptivo para recibir Su guía y dirección si está en mí hacerlo. En caso contrario, lo dejo en Tus manos para que sea Tu voluntad y no la mía. Yo doy gracias por la solución ahora y Así Es. Amén".*

Toma en cuenta que los agravios, resentimientos, envidia, sentimientos de culpa, condenación, juzgamiento así como la ira, son agentes nocivos que retrasan el proceso de tu prosperidad. Además, esas actitudes te atan a los conflictos y problemas que parecen ser externos pero en realidad son internos ya que lo interno es el reflejo de lo externo. La única forma de erradicar estos patrones de pensamiento es perdonar y perdonarte, así borras de tu subconciencia todo lo que sea contrario a tu bien. La subconciencia es el almacén de la memoria donde están guardadas todas las imágenes de tus vivencias, creencias, —verdaderas o falsas— y es a la vez el poder creativo en ti.

La siguiente es una oración que tiene el propósito de eliminar estos sentimientos negativos o piedras de tropiezo que impiden la realización de tu riqueza, éxito y felicidad:

"Yo, (Menciona tu nombre completo), entrego a Dios todos mis agravios, resentimientos, sentimientos de envidia, culpa, celos, ira y crítica para que sean transformados en el Amor perdonador Divino en mí. Ahora todos los pensamientos erróneos que me mantenían en el miedo y no me permitían prosperar, han sido sanados y erradicados de mi mente. Yo ahora perdono y libero mi mente todo pensamiento contrario a mi bien. Mi mente se abre ahora a la abundancia y bienestar Divino que son míos por derecho de conciencia. Y Así Es. Amén".

LA GRATITUD TAMBIÉN
TE HACE PROSPERAR

La acción de gracias te hace prosperar, por consiguiente, si haces la siguiente afirmación te beneficiarás grandemente. Asimismo, si tienes un negocio progresarás y tendrás el éxito asegurado.

"Yo, (Menciona tu nombre completo), doy gracias a Dios por haber solucionado todos los asuntos financieros en mi vida. Mi negocio ahora es guiado hacia la prosperidad y el éxito por la sabiduría Divina en mí con resultados perfectos en todas y cada una de las transacciones que yo haga. Todas mis obligaciones financieras son pagadas a tiempo, en una forma Divina, ordenada y perfecta. Gracias Padre Celestial porque yo sé que Así Es. Amén".

Nunca hables con nadie de tus deudas, de ahora en adelante, habla sólo de prosperidad y éxito en todas las áreas de tu vida. Reconoce que nada ni nadie puede retener lo que por derecho Divino te corresponde tener para vivir y disfrutar. Todos y cada uno de nosotros recibimos lo que por derecho de conciencia nos corresponde. De igual manera, nada ni nadie tiene poder para limitarte, sólo tu pensar lo hace y tú estás a cargo de tus pensamientos, por consiguiente, no permitas que ellos te limiten.

Acepta tu derecho Divino de vivir y disfrutar la vida a plenitud. Si siempre das las gracias por todo lo que recibes, entonces no tendrás dificultad para seguir practicando este buen hábito. Hay algunas personas que piensan o creen que merecen todo y no están acostumbradas a dar gracias, o no las enseñaron a ser agradecidas. Cualquiera que sea tu costumbre, si quieres tener o incrementar tu riqueza y éxito, practica lo siguiente:

- Busca una hoja de papel y escribe como título: "PERSONAS Y COSAS A LAS QUE DEBO AGRADECER". Enseguida haz una lista de las personas a quienes debes grandes y pequeños favores y que tal vez no has agradecido debidamente. Agradece a las cosas que te desagradan pero que están en tu entorno. También anota las cosas que te han prestado un valioso servicio, ya sea para tu comodidad o bienestar personal.

- Comienza tu acción de gracias con Dios, tus padres, cónyuge, hijos, hermanos, parientes, amigos, maestros, sirvientes, compañeros de trabajo, jefe, empleados; fábrica, tienda, aire, agua, combustible, ropa, comida, casa, transportación, mesa, papel, pluma, tinta, reloj; cabello, piel, ojos, nariz, boca, lengua, dientes, manos, pies, piernas, estómago, intestinos, corazón, pulmones, riñones, músculos, huesos, sangre, etc.

Cuando termines de hacer la lista, descubrirás cuántas cosas has recibido sin hacer esfuerzo alguno, sin haber realizado siquiera algún trabajo que te haya hecho merecedor de tales dádivas. ¿Alguna vez has agradecido a todas estas cosas tan abundantemente ofrecidas e imprescindibles para ti? ¿Alguna vez has agradecido a Dios y a las personas que han ideado o creado las cosas de las que ahora te sirves? Si nunca lo has hecho, estás en deuda con todos ellos pues "has recibido de más". Paga esa "deuda" de inmediato a través del "sentimiento de gratitud". Siempre que veas o pienses en todas aquellas personas o cosas citadas en tu lista, pronuncia mentalmente las palabras "gracias, gracias, muchas gracias".

Gran parte de las carencias e infelicidad vienen de tu "deuda" de gratitud, esto es, del hecho de no haber "pagado" los beneficios recibidos en demasía. Cuando con el sentimiento de "gratitud" pagues esta "deuda" o "exceso de dádivas", estarás iniciando una vida de salud permanente, felicidad, riqueza y éxito en abundancia.

La acción de gracias también contribuye a mantenerte en armonía con todo y con todos al unificarte en una sola vida. Cuando tu "yo" personal se armoniza con todas las personas y cosas, entonces eres vivificado por ellas, y por lo tanto, es natural que seas sano, feliz, próspero, rodeado del éxito y la riqueza. Ésta es también la llave para alcanzar rápidamente la prosperidad completa. Obtendrás los resultados si lo practicas en todo lo que realices de ahora en adelante.

A través del reconocimiento y comprensión de la verdad de que todo y todos somos unidad, lograrás una prosperidad completa y permanente. Todas las dificultades, discusiones, pleitos, guerras, enfermedades, envidias, carencias y limitaciones ocurren porque las personas no están conscientes de que la vida que estamos viviendo es "indivisible", se olvidan del mutuo dar, compartir y vivificar, se separan de las personas al lanzar acusaciones y críticas unos a otros.

No debes olvidar que cuando fundas la riqueza en lo espiritual, ella siempre está contigo al igual que con todo aquel que, como tú, así la reconoce y la acepta.

Tu riqueza real y verdadera es espiritual, por consiguiente, es permanente, ilimitada e inagotable. Decimos que es espiritual porque proviene del mundo invisible, lo que llamamos espiritual. Cuando piensas y visualizas la riqueza, cuando mentalmente la aceptas como un hecho, entonces estás poniendo en acción una Ley mental que hará realidad tu creencia.

No trates de indagar en qué forma recibirás la riqueza porque así como ni el más sabio de los hombres sabe cómo hace la naturaleza para que una semilla germine, nazca, crezca y dé fruto o florezca según su especie, de la misma forma tú empiezas a recibir tal vez inspiración o guía hacia algún negocio y, aunque nunca lo hayas pensado, las cosas necesarias te llegan de todas partes y formas para que logres éxito. Quizá llegue a tu mente una idea la cual viene completa de todo lo necesario para que la pongas en acción y a través de ella obtengas riqueza, porque en verdad las ideas enriquecen. En fin, suceden tantas cosas que uno nunca sabe cómo el Creador hace posible las realizaciones de las cosas que aceptamos con gratitud.

ORACIÓN PARA ALCANZAR PROSPERIDAD

"Yo reconozco que toda provisión viene del Padre Celestial y yo soy uno con Él. Como Su hijo que soy, siempre tengo abundante provisión y prosperidad. Yo jamás desperdicio la provisión recibida, siempre la uso con sabiduría. La sustancia Divina se manifiesta en todas las áreas de mi vida, llena toda necesidad en el momento

preciso. Doy gracias a mi Padre Dios por la riqueza, éxito y abundancia que tiene para mí y para todos, ahora y siempre. Y Así Es. Amén".

LA PROSPERIDAD VIENE DEL ESPÍRITU

Acepta tu herencia Divina. El Espíritu llena todo el espacio y anima todas las formas. Entonces el Espíritu es el verdadero "Hacedor" de todo, pero Él sólo puede actuar para ti a través de ti. Lo anterior significa simplemente que Dios puede darte sólo lo que tú puedes aceptar, y como entras diariamente a tu herencia Divina mediante tu pensamiento y corazón, estás entrando en el Reino de la Causa Absoluta.

Debes creer absolutamente que a partir de este secreto espacio del Más Alto dentro de ti se proyectará una manifestación objetiva para cada deseo legítimo tuyo. Por lo tanto, ¿realmente estás afirmando que la sustancia Divina fluye siempre a través de ti como proveedora? Afirma de la siguiente manera:

"Hoy alabo a la sustancia Divina la cual toma forma abundantemente en todas las cosas que yo necesito para mi felicidad completa.

"Hoy animo todo con la idea de abundancia. Acepto sólo el bien y experimento mayor bien en mi vida ahora.

"Reconozco que el Espíritu trabaja en todas partes. Yo doy gracias a Dios porque la Acción Correcta actúa en todos mis asuntos.

*"Hay dentro de mí Eso que ve, conoce y entiende
esta verdad y que la acepta totalmente.
Yo reconozco que hay suficiente bien a mi alrededor
y yo siempre soy provisto.*

*"Declaro y reclamo constantemente la abundancia
de Dios, la cual fluye siempre hacia todos
como proveedora. Yo abro mi mente
al fluir de la abundancia.*

*"Gracias Dios por proveernos con abundancia
de todas las cosas para vivir con plenitud.
Yo acepto con gratitud esta verdad sabiendo
que Así Es. Amén".*

ACTITUDES QUE TE ALEJAN DE LA RIQUEZA

- Resistirte a regresar a Dios el 10% de todo lo que Él te da.

- Resentimiento, envidia, celos, avaricia, miedo y crítica.

- Sentimientos de fracaso o sensación de derrota.

- Ignorar quién eres realmente.

- Motivaciones egoístas.

- Vivir en el pasado y en el futuro, olvidándote del presente.

- Confusión o desorden mental.

- Desinterés y aburrimiento ante la vida.

- Pensamientos de limitación y escasez.

- Creer que ser pobre, o haber nacido pobre, es una virtud.

- Sentirte "poca cosa" o "yo no merezco..."

- Ser conformista con lo que tienes sin aspirar a más.

- Temor a no tener dinero en el futuro.

- Creer que el dinero es "la raíz de todo mal".

Como ya hemos mencionado, todos los bloqueos que impiden tu riqueza, prosperidad y éxito no existen en el exterior. Lo externo es sólo el reflejo de lo interno. En otras palabras, todo está en tu mente y si quieres que desaparezca lo que estás experimentando entonces tienes que eliminar el equivalente de esas experiencias, que sin lugar a duda están establecidas en tu subconciencia —el almacén de la memoria.

Pero, ¿cómo lograrlo? A través de la oración del perdón. Todos los pensamientos y sentimientos negativos serán eliminados por medio del perdón sincero y verdadero. Por lo general, una persona que no ha perdonado es siempre dependiente, todo el tiempo busca excusas para no resolver sus problemas, culpa a los demás de lo que le pasa o se siente culpable de los errores de otros. Negarte a perdonar o no pedir perdón causa angustia y conflictos y no te permite ser original y productivo.

Perdonar significa dejar de vivir en el pasado reviviendo memorias y asociaciones con situaciones que te causaron dolor y que ya no deben de estar en el presente porque ya pasaron, pertenecen a ese pasado que no debe vivir en ti mas que en el recuerdo. El verdadero perdón no mira al pasado, vive sólo el presente, ve sólo la bondad, lo bello y lo perfecto en todas las personas sin importar cuán escondido lo tengan.

Perdonar sinceramente te lleva a vivir el aquí y ahora. Abre las puertas de la riqueza, el éxito y la abundancia, asimismo te mantiene con una exuberante salud, fortaleza y vitalidad. Te hace ver con claridad que no tienes que cambiar a nadie porque cada quien está en el lugar que le corresponde. Aceptas que cada cual está haciendo y dando lo mejor de sí mismo de acuerdo a su estado de conciencia y a la comprensión que tenga de la vida.

Perdonar y olvidar son de las cosas más fáciles y a la vez difíciles para todo ser humano. Todos deseamos ser sanos, felices, prósperos y ricos, pero cuando se trata de perdonar y olvidar, no estamos dispuestos a hacerlo.

Tal vez te decidas a perdonar cuando te enteres de que si no lo haces, no podrás aliviarte y nunca serás verdaderamente rico, pues al estar enfermo no podrás disfrutar tu dinero y además, el no perdonar en lugar de aumentarlo lo disminuye.

En ocasiones, aunque tengas mucho dinero porque te has esforzado para tenerlo, tal vez con muchos sacrificios, no te alcanzará para curarte; en verdad, la salud no puede comprarse. La salud permanente es un estado normal y natural en todo ser viviente, —eso incluye a los humanos— pero, con la libertad de pensar y escoger que se nos dio, inconscientemente creamos la enfermedad y el deterioro del cuerpo con la forma negativa de pensar y la falsa creencia acerca de la enfermedad misma.

Reflexiona por un momento: Si ahora no estás sano, indudablemente tienes establecido uno o varios pensamientos de coraje o resentimiento por agravios o malos entendidos que hayas tenido con alguien. Pregúntate sincera y honestamente, ¿te beneficia tener esto contigo? ¿Estar resentido te ha causado alegría?

No dudamos que puedas pensar, "Pero es que tengo razón para estar enojado o resentido con tal persona". No dudamos que tengas toda la razón del mundo para estar así, pero nuevamente te preguntamos, ¿te beneficia? Consideramos que no. Entonces, por qué no perdonar. Perdona por conveniencia propia, se oye algo feo, pero si lo analizas, a razonarás y concluirás que es lo mejor y lo más sano.

Cuando perdonas, el más beneficiado siempre eres tú. Además de obtener salud, abres los medios para que te llegue la riqueza pues mantienes una mente sana, y como dice la frase: *"Mente sana, cuerpo sano"*. Tendrás energía y dinero suficientes para disfrutar la vida.

Por el contrario, si te resistes a perdonar, si continuas viviendo en el pasado, sólo recordando lo que te hicieron o lo mal que te trataron, ese pensar negativo y morboso se convertirá en veneno —el cual produce el tan temido mal llamado cáncer y que la ciencia médica no ha podido controlar pues es una causa mental manifestada en lo físico— que invadirá todo tu cuerpo con las consecuencias nada agradables que ya conoces.

En verdad, cada quien se busca sus propios males y en ocasiones llegamos hasta los extremos en donde experimentamos lo que tantas veces escuchamos decir: *"No es lo que comes lo que te hace daño, sino lo que está comién-*

dote por dentro ". Te invitamos a que recapacites, analices y reflexiones acerca de la conveniencia de perdonar para disfrutar esa vida tan bella que Dios te ha dado.

La siguiente es un oración sencilla pero muy efectiva que nos ha dado resultados maravillosos al igual que a quienes la han llevado a cabo. Con mucha sinceridad y sentimiento dila en forma audible sólo para ti: ***"Yo (menciona tu nombre completo), te perdono de corazón a ti, (nombra a la persona que crees te hizo daño). Tú y yo somos Unidad delante de Dios. Que Dios te bendiga y te perdone; yo te bendigo y te perdono también. Ya no existe ningun resentimiento entre nosotros. Ahora eres libre y yo soy libre también, tú estás en tu lugar y yo estoy en el mío. Gracias Dios por habernos perdonado. Amén"***.

Pruébalo, sólo te tomará unos minutos y los resultados serán invaluables. Hazlo cuantas veces sea necesario hasta que llegue el momento en que verdaderamente sientas que perdonaste. También puedes escribirla. Usa una libreta especial para esto. Escribe la misma oración mínimo tres veces. Una forma de saber si ya has perdonado es que cuando te acuerdes o te mencionen el suceso, ya no te perturbes pues sabes ya pasó y que ahora has perdonado de corazón.

Es simple, ¿no lo crees? Muchas veces, por su misma sencillez o simpleza, escapa no puedes creer que funcione, pero así es. Si lo haces, te convencerás de que es verdad. Cuando menos lo pienses estarás totalmente recuperado de todo malestar. Te lo garantizamos porque Dios nunca falla; la falla está en los humanos al dudar o no querer hacerlo.

Sigue al pie de la letra las declaraciones: *"Ama a tu pró-jimo como a ti mismo"*, *"No hagas a otro lo que no quieras para ti"*. Entonces empezarás a amarte para así amar a los demás. No harás daño a nadie porque equivale a hacértelo a ti mismo. En esta forma estarás viviendo en paz y armonía con todas las personas y el mundo que te rodea.

Pero, en la ignorancia todos nos hemos equivocado más de una vez y quisiéramos que en ese momento de equivocación fueran indulgentes con nosotros, que nos perdonaran los errores o faltas ya que estábamos arrepen-tidos y todos merecemos el perdón. No obstante, hay ocasiones en que no es así, siguen hostigándonos una y otra vez, recordándonos la falta a cada momento. Si este es tu caso, perdona y pide perdón, no le niegues a nadie el perdón porque sería negártelo tú mismo.

Ya te dimos una técnica de cómo perdonar, pero si no te da el resultado deseado y en verdad decidiste perdonar o pedir perdón, entonces sigue al pie de la letra los diez pa-sos siguientes. Si lo haces, verás la conveniencia y las grandes recompensas que se obtienen, así que saca tus pro-pias conclusiones.

PRIMERO: El perdón significa *"doblarse pero no que-brarse"*. Quiere decir, tener la fuerza suficiente para resistir el peso del daño recibido. Tener la flexibilidad ne-cesaria ante toda situación para no ser perturbado por nada ni por nadie y así recuperarse más pronto. Esto es llamado perdón y olvido.

SEGUNDO: Perdonarte a ti mismo elimina de tu alma la carga mental que traías. El resentimiento, la vergüenza y la culpabilidad son algunos de los sentimientos altamente nocivos que merman tu salud y que muchas veces sientes que te ahogan. Al perdonarte y pedir perdón por los errores y faltas cometidas en el pasado, te sientes libres para siempre. Nunca más vuelves a cometer faltas, estás y vives más alerta para no volver a sufrir. Sería ilógico que cayeras dos veces al mismo pozo.

TERCERO: El Creador nos dotó libertad para escoger, aceptar, rechazar, decidir; es el libre albedrío. Por lo tanto, tienes derecho a escoger sentirte triste, deprimido, enojado, traicionado o resentido cuando sientes que te hieren. Pero, ¿qué pasa con estos sentimientos cuando no son externados? Son empujados bajo la superficie de la subconciencia, llamada el almacén de la memoria, lo cual significa que de un momento a otro explotarán en diferente tiempo y harán estragos en el cuerpo y crearán un ambiente nada agradable.

Para que no haya desequilibrio emocional debes dar salida inmediata a todo sentimiento que pueda causarte daño. Del mismo modo que aceptas puedes rechazar. Por ejemplo, si consideras que lo que están reclamándote no es de tu incumbencia, debes argumentar, exponer tu reclamo también y no permitir que te dañen por algo que no hiciste. Supón que trabajas como cajero en un Banco y los clientes impacientes te reclaman porque no avanza la fila, pero resulta que se cayó el sistema y tú no puedes hacer nada pues la computadora no da ningún dato, por lo tanto, tienes que esperar hasta que se restablezca y muchos no saben esto. ¿Cómo reaccionarias?

Te aconsejamos que no reacciones, no te dejes llevar por la presión que los clientes ejercen sobre ti. Mantente ecuánime, con *"la cabeza fría"* y seguro de ti mismo, entonces *piensa* qué vas a contestar. Como ya dijimos, tienes derecho a defenderte y explicarles con amabilidad y mucha calma: "Señores, disculpen la demora pero el sistema está dañado y no hay nada que yo pueda hacer a este respecto. Ya están trabajando en la línea y en cuanto quede restablecida recibiré sus documentos y les daré toda la información que deseen".

Es lo único que puedes y debes hacer, por consiguiente, no des largas a la situación y dala por terminada pues si no lo haces así, es muy probable que te dejes envolver por el coraje del que reclama y te hará sentir mal.

No te encadenes a problemas y situaciones de otros, tú eres responsable únicamente de tus actitudes y tus acciones porque de ellas vas a tener un resultado. Por lo tanto, cada cual debe responder por sí mismo de sus propios actos y no de los actos de los demás. Una vez terminada la situación, perdona o pide perdón si quieres permanecer libre.

CUARTO: No rehuyas a quienes te hayan herido o lastimado, diles personalmente cómo te sientes. Si consideras que no tienes la fortaleza necesaria para hacerlo, entonces habla con ellos en tu imaginación, diles todo lo que estás sintiendo ahora. Es una buena terapia para sacar coraje o resentimiento.

Otra técnica es escribir una carta. Trae a tu mente a la persona con quien hayas tenido o tengas coraje, una a la vez, lógicamente no vas a enviar la carta sino vas a quemarla o destruirla al terminar, esto representa que lo que había entre ustedes ya no existe. En esta carta puedes decir todo lo que sientes, lo injusto o malo que fue contigo, escribe todo lo que quieras expresar puesto que sólo tú verás esta carta. Lo más importante es que saques eso que está causándote daño.

Tal vez la persona que te hizo daño ya ni se acuerda del suceso pero tú lo tienes tan presente como si acabara de suceder. Mientras no lo exteriorices, tú serás quien sufre, así es que para tu propia salvación, perdona. Una vez terminada la carta, la quemas y esta incineración representa que ya no existe eso que traías contigo, se ha vuelto cenizas y se las llevó el viento, así de simple.

QUINTO: Debes comprender que el perdón es una técnica poderosa que contribuye a tu supervivencia al mantenerte siempre libre de todo resentimiento. Lo anterior te ayuda a liberar tu camino de toda perturbación y a tener una clara percepción de que todo está bien. En las relaciones con los demás no habrá malos entendidos, desacuerdos, heridas, corajes o resentimientos.

Siempre sabrás discernir con facilidad cualquier situación o condición que enfrentes. Tu mente estará siempre despejada, libre de toda confusión y receptiva sólo a lo bueno. Éste es el gran beneficio que obtienes cuando tomas la firme decisión de perdonar y pedir perdón.

SEXTO: Hay situaciones que en verdad son retos que debes enfrentar con valentía. Uno de ellos es perdonar a tus padres. En cierta ocasión vino a verme una persona —por razones obvias no mencionamos su nombre— con una enfermedad de "cáncer terminal" y, según el diagnóstico de la ciencia médica, no tenía ya posibilidades de sobrevivir mucho tiempo, sus días estaban contados.

Según su propia versión, había fallado todo tratamiento a que se sometió, su salud empeoraba cada día, por lo tanto consideraron que tenía un mal "incurable". Como último recurso, el doctor le recomendó que se contactara con alguna persona que tuviera conocimientos y entrenamiento en la ciencia mental para que la ayudara porque, al parecer, su mal era de origen psicosomático.

Ella ya había oído hablar de la ciencia mental pero no creía en ella pues, según tenía entendido, todo era charlatanería y brujería. Son "cosas del diablo", según su confesor. Como no tenía otra alternativa, concertó una cita y una vez en nuestro consultorio se mostraba muy intranquila y escéptica.

Le explicamos la manera como funciona la mente y que a través de la forma o hábito de pensar es como creamos condiciones y situaciones en la vida; que nada pasa por casualidad; que todo lo que ahora vemos objetivamente procede de ese mundo que no vemos y que llamamos mundo espiritual, del cual somos parte pues esto que hace que nos movamos es, sin duda, el espíritu o alma en nosotros.

Con nuestro método argumentativo, llegamos al punto de convencimiento en el cual no existe coerción o lucha mental, a tal grado que fue calmándose y convenciéndose de que ella misma creó inconscientemente esa experiencia y que, así como la creó, podía erradicarla pero era necesario seguir un método el cual le fue proporcionado. Entonces accedió a seguir las instrucciones, empezó por hacer la oración del perdón a sus padres, les tenía un resentimiento tan profundo que se resistía a hacerlo. Nos dijo: "Por favor, díganme que haga cualquier otra cosa pero no puedo hacer eso porque no se merecen mi perdón".

Ella insistía que le era muy difícil perdonarlos, ya que por culpa de sus padres perdió al gran amor de su vida debido a la coacción que ejercían sobre ella; el amor que debía de sentir por ellos se tornó en temor y resentimiento. Se convirtió en un resentimiento muy profundo y callado pues el temor y respeto que les tenía le impedía externar sus sentimientos.

Ese sentimiento reprimido se convirtió en rencor y, como salida, se manifestó en su cuerpo como cáncer. Entonces le preguntamos que si estaba dispuesta a perdonar, estábamos seguros de que se recuperaría. Así que establecimos un convenio; nosotros haríamos nuestra parte y ella haría la suya.

A partir de ese momento empezó a trabajar consigo misma, cambió su actitud mental acerca de la enfermedad y hacia sus padres. Dijo que al principio, cuando hacía la oración del perdón, sentía todavía más coraje pero poco a poco todo cambió hasta el grado de ya no sentir coraje, temor ni resentimiento y consecuentemente, en el curso de seis meses, recuperó la salud completa y permanente ante el asombro de todos. Cuando fue al doctor para que le hiciera un reconocimiento general, al verla, él fue el más sorprendido, le preguntó: "¿Y ese 'milagro', cómo lo lograste, qué hiciste para obtener tan rápido restablecimiento?". Le contestó: "Sólo seguí su sugerencia, fui con un practicante de la Ciencia Mental y gracias a Dios aquí estoy, completamente sana".

Felizmente, esta mujer ahora goza de una cabal salud. Logró hacer su propio "milagro". Hace ya dos años de eso y vino a visitarnos para hacernos una invitación, iba a casarse. Ahora es otra persona, incluso luce como diez años más joven que cuando la conocimos. Se ve radiante de salud y felicidad. Nos dijo: "Gracias a Dios, a ustedes y a la oración del perdón he renacido de nuevo, en verdad soy otra".

Por desgracia, en muchos hogares sucede lo mismo. Los padres siempre quieren lo mejor para sus hijos y, en su afán de protegerlos, muchas veces los frustran al coartarles la libertad de escoger. No los dejan crecer por sí mismos, no les permiten escoger su camino o forjar su destino, por el contrario, les exigen obediencia y respeto para que sigan su mandato, o sea, los padres eligen por ellos. Todos recibimos de nuestros padres la educación que ellos recibieron de los suyos, por lo tanto, siempre somos víctimas de víctimas. Cuando no tenemos el conocimiento, lógicamente no sabemos cómo defendernos y somos influidos, sugestionados, atemorizados y sujetos al dominio de otros.

Todos pasamos por diferentes experiencias, son los retos que debemos de encarar y vencer pues para eso estamos aquí, para crecer y pulir el alma, el espíritu de lucha a través de cada logro. Cuando te aferras a tu propia verdad, quizá no estés en lo correcto, pero si te vuelves a Dios en ti, siempre habrá una guía interna que te alentará, iluminará y animará para lograr tus propósitos y éxitos en la vida.

SÉPTIMO: No existe ofensa alguna que pueda ser considerada imperdonable, a menos que así lo consideres tú mismo. Cuando alguien dice "No merece mi perdón", inconscientemente está diciéndose a sí mismo, "yo no perdono". Esta persona está poniendo sus propios grilletes que la atarán con cadenas mentales irrompibles y nadie podrá quitárselas mas que ella misma cuando lo descubra y desee hacerlo.

Realmente no vale la pena negarte a perdonar porque, al hacerlo, estás negándote el perdón de otros pues todos hemos errado, fallado, cometido errores, hecho daño en forma inconsciente. Existe una frase que dice: *"Es de humanos equivocarse y es de Divinos perdonar"*.

OCTAVO: Cuando decides perdonar, tal vez piensas que te llevará mucho tiempo hacerlo. No pienses así porque "pensar es crear". Tu pensamiento es creativo por naturaleza, no porque nosotros lo digamos. Todo lo que piensas y creas, ya sea bueno o malo, así será porque lo has decretado y porque es el resultado que obtienes de la Ley mental en ti. Jesús dijo: *"Te será dado de acuerdo a tu creencia"*.

Debes creer que perdonar te beneficia, aunque al principio te parezca que tu perdón será inútil cuando no ves los resultados inmediatos. Pero nosotros te decimos que la curación que trae el perdón es como el queso añejo y fino; se lleva tiempo, pero vale la pena trabajar en ello porque los logros son permanentes y benéficos en todos los sentidos de tu vida.

Así es que no demores más para iniciar tu perdón o pedirlo. Tienes que darte el tiempo para hacerlo. Recuerda que al demorarlo estarás demorando tu propia curación y libertad para vivir la vida sin ataduras.

NOVENO: El perdón requiere de coraje y firme determinación. Nadie tiene poder para hacerte daño o hacerte sentir mal, a menos que tú lo aceptes. Recuerda que tú tienes el poder suficiente para protegerte de todo lo que consideres que no te conviene creer o aceptar.

Nadie puede obligarte a creer algo que va en contra de tu propia creencia y de lo que tú estás seguro que es. Por ejemplo, nadie puede obligarte a creer que después del lunes sigue el jueves, ¿o sí? ¡Claro que no!

Si deseas vivir en paz, armonía y felicidad con todo y con todos, entonces permite que el perdón abra la puerta de la reconciliación. El abusador de hoy puede ser el amigo de mañana. Muchos niños son presas del abuso —en diferentes formas— de los adultos que abusan de su inocencia. Cuando el niño crece, lleva consigo el recuerdo de lo que le hicieron y entonces él está en contra de todo el mundo, vive a la defensiva porque piensa que todos quieren abusar de él.

Para desechar ese complejo o frustración, si es que se quiere eliminar, él debe iniciar su propia curación a través del perdón siguiendo la técnica que aquí se menciona.

Tal vez te parezca muy simple, pero debes saber que lo más simple y sencillo es lo más efectivo en cuestión del poder mental que todos poseemos. Muchas, muchas veces has oído lo que tantas veces nos recordó Jesús: *"Ama a tus enemigos y ora por los que te aborrecen", "Te será dado de acuerdo a tu creencia", "De acuerdo a tu fe, así sea en ti"*. ¿Está claro para ti?

No tomes literalmente la primera declaración porque te parecerá ilógico, ¿cómo vas a amar a alguien que te ha hecho daño?, ¡pues no! Pero si le das un sentido espiritual entonces su significado es diferente. Amar a tus enemigos es perdonarles el mal que te han hecho, aunque consideres que no merecen tu perdón, pero al hacerlo tú serás el más beneficiado porque sanarán tus heridas. ¿Qué mérito tiene amar a quien amas? Y orar por los que te aborrecen es desearles toda la felicidad que deseas para ti mismo. La recompensa de todo esto es grandiosa, te lo garantizamos. ¿Quieres convencerte? Ponlo en la práctica.

DÉCIMO: Acepta la posibilidad de reconstruir una relación. Las ofensas pasadas pueden ser sepultadas y una vida mejor puede ser construida por encima de los escombros. A veces, la posibilidad de reconstruir una relación es ya casi imposible, en tal caso, nadie puede obligarte a continuarla. La medida más sana es que cada quien siga su propio camino, sin interferir en el del otro. Para ayudarte a perdonar, imagina a la otra persona rodeada por la Luz Divina, mírate a ti mismo parado dentro de esa misma Luz y siente la presencia de Dios que está en ambos. El perdón no es algo que haces por alguien más, es algo que haces para ti mismo. De ti depende darte el regalo del perdón.

ORACIÓN PARA EXPRESAR ABUNDANCIA

"Yo, (Menciona tu nombre completo), reconozco que la Única Presencia y el Único Poder que existen en el Universo es Dios, y yo soy uno con Él. Yo no estoy separado de Dios porque Él vive en mí y yo vivo en Él.

"Hoy yo reclamo el fluir de la abundancia y la prosperidad en mi vida. Todos los canales y medios están ahora abiertos y receptivos para que así sea hecho. Todos los bloqueos mentales que había, ahora han sido transmutados y fluye hacia mí la abundancia, abundancia y más

abundancia. Mi fe, creencia y convicción están fundadas en el Espíritu como mi inagotable fuente de provisión y todo bien.

"Yo afirmo y reclamo mi prosperidad y esto no interfiere con la prosperidad de otros. Mi mente ahora está en paz y yo expreso libertad porque Dios expresa esta libertad a través de mí. Yo reconozco a la Sustancia Divina y le doy gracias por manifestarse ahora abundantemente en forma de dinero; dinero suficiente para solventar todos mis compromisos económicos y tener siempre algo más.

"Gracias Padre Celestial porque Tú siempre me provees con abundancia todo lo que solicito. Yo sé que el Poder en mí ya ha realizado todo lo que he declarado. Yo lo creo, yo lo acepto con gratitud, sabiendo que Así Es. Amén".

Capítulo 7

TU MENTE
Y PENSAMIENTOS
SON CREATIVOS

Tú originas la causa de cada una de las experiencias en tu vida, de acuerdo con la forma de pensar. De la forma como quieras llamarle, ya sea casualidad, circunstancias, retribución, remuneración o recompensa, no es el resultado de un capricho, accidente o de las circunstancias de la vida. Todo es un resultado directo de la Ley Impersonal de Causa y Efecto de la cual nadie se escapa.

La Inteligencia Infinita dentro de ti funciona activamente día y noche, las 24 horas, siempre almacena información —la cual estableces a través de tus pensamientos habituales— y da resultados de lo que hayas aceptado, asimismo ajusta, corrige, renueva, revitaliza y reconstruye tu cuerpo para mantenerlo siempre en buenas condiciones.

La mente en su nivel subjetivo es el poder creativo en ti. Alguien puede llamarle naturaleza; otros, evolución o energía universal y muchos le llamamos Dios. La verdad es que el nombre no es importante, lo importante es reconocer que hay algo más grande que todos y es quien hace posible todo lo que ves objetivamente y que proviene de eso que no ves con los ojos físicos.

Este Poder Infinito en el hombre —en ti y en todos— es un potencial que frecuentemente limitamos porque ignoramos su existencia, pero Él está disponible para cada hombre. Al reconocerlo, puedes extraer este tremendo Poder capaz de resolver, modificar, ajustar y armonizar cada condición en tu vida.

En la oscuridad de la ignorancia, el hombre dirige este Poder para crear el caos en su vida. Para superar o eliminar cualquier condición desagradable, es necesario desarrollar una gran fe. Pero esta fe debe basarse precisamente en este Poder que siempre responde a todos por igual. Sin darte cuenta, has estado usando el Poder en ti pues has experimentado diferentes cosas, llamémosles buenas y malas.

Todas estas experiencias han aparecido en tu vida a través de la fe que pusiste en ellas. La fe es una Ley de la mente que hace las veces de "motor de arranque" para el proceso de cualquier creación. En otras palabras, la fe absoluta es una actitud mental; es la evidencia de las cosas que aún no ves con la vista física pero que al "verlas" con la vista espiritual y aceptarlas con esta fe absoluta, entonces aparecen objetivamente.

Una vez puesta tu fe en este Poder, Él podrá expresarse libremente en tu vida al sanar toda condición o enfermedad, resolver cada problema financiero y armonizar toda clase de relaciones; te pondrá firmemente sobre el camino de la felicidad y el éxito en todas las áreas de tu vida.

En una conferencia sobre el éxito, un hombre dijo que su éxito estaba basado en su propio esfuerzo. Explicó a su audiencia que tuvo que pasar por muchas vicisitudes y amargas experiencias, pero al final lo obtuvo y esto le hacía sentirse complacido. Dijo: "Todo mi éxito se debe a mi esfuerzo y coraje, sobre todo al empuje, empuje y más empuje. Por lo tanto, siempre he sido un hombre de empuje". Toda su conferencia era una de total arrogancia.

Al terminar la plática, un joven que estuvo muy atento a lo que él decía, le dijo: "Perdone señor, si le es posible, ¿puede usted elaborar un plan de 'empuje' para que mi negocio tenga éxito? O bien decirme quién puede empujarme y cómo puedo continuar con el empuje". Hay miles de personas que asumen esa actitud arrogante, pero en el fondo no son realmente felices.

Existen muchas personas que creen que la riqueza y la afluencia de ella se adquieren sólo al tomarlas de otros; lamentablemente, nada nos aleja más de la verdad que tener esa falsa creencia. Sí se puede obtener riqueza basada en el esfuerzo físico pero conlleva a agotamiento, temor, enfermedad, limitación y sacrificios. Obvio, esta clase de riqueza no es permanente ni se disfruta a plenitud.

La verdadera riqueza no requiere ningún esfuerzo o sufrimiento. El Universo está dotado con una vasta e inagotable riqueza más allá de la imaginación de todos ser humano. Sólo hemos escarbado en la superficie, pero en todas partes hay pródiga abundancia y riqueza esperando ser reconocidas y aceptadas.

La creencia en escasez y limitación causa fracasos en la vida. La condenación propia causa deterioro en el carácter y personalidad. Existe un método para sobreponerse al fracaso múltiple, una técnica definida a través de la cual puedes usar la Ley Universal de lo bueno. Puedes sobreponerte a la tendencia del fracaso y desarrollar una conciencia de éxito. No es mágico ni misterioso, es un sentido común, una forma de vivir que te dará frutos deseados, la manifestación de cosas buenas en tu diario vivir.

La evolución está actuando a través de todo lo que observas, está en tu entorno, en ti mismo. Esta evolución es debida a una *"Causa"* —la cual es mental— y la vida tiene que adaptarse constantemente a ella generando nuevas formas, condiciones y cambios que son el *"Efecto"*. Éste es el Poder mental que está dentro de ti y puedes llamarlo a través de tu pensamiento para que te ayude a sobreponerte, para que ajuste o armonice cualquier condición desagradable que exista y obtengas el éxito y abundancia deseados.

Todo ser humano se ha menospreciado alguna vez. Muchas personas se condenan a sí mismas por errores que cometieron en el pasado, por fracasos que experimentaron y por problemas que causaron infelicidad a otros y estas actitudes mentales han regresado a ellas en forma de infelicidad, enfermedades y fracasos. Esto en realidad es como apagar la luz y quedarse a oscuras o es la forma de desconectarse de la Sabiduría Divina y estar expuesto a cometer errores.

Por ejemplo, cualquier persona que se considere innecesaria, que diga que no es querida y que no es necesitada ni amada, es como si hiciera un cortocircuito del Principio de Vida que está dentro de ella misma. Equivale a desconectarse de la Fuente de energía y vida, está negando la gran fuerza natural de expresión dentro de su propia vida. El

Apóstol Pablo dijo: *"Dios no nos ha dado un Espíritu de miedo sino de poder, amor y una mente firme"*.

De la misma forma como los rayos del sol enfocados a través de una lente de aumento queman un papel, así tu fe debe de ser enfocada sobre el éxito, y a través del poder de tu mente y pensamiento, ella producirá la clase de acción que te traerá la total realización de los profundos deseos de tu corazón. Las oportunidades te esperan más allá de tus grandes sueños, por lo tanto, debes despertar a esta gran verdad.

Las oportunidades son para quienes se atreven a creer y mantienen una firme fe, creencia y convicción de que todo es posible cuando se unen al Poder interno. No esperes más, ésta es tu oportunidad, no la dejes pasar. Ahora es el tiempo; aquí mismo donde tú estás está ese Poder listo para ayudarte en todo. La riqueza, prosperidad y el éxito son tuyos, disfrútalos ¡ahora!

EL PENSAMIENTO ES CREATIVO POR NATURALEZA

Cuando comprendes que tu pensamiento es creativo por naturaleza debes poner mucho cuidado en lo que piensas pues cada pensamiento tiene un resultado.

Te preguntamos: ¿Qué estás permitiéndote crear ahora? Sabemos que tenemos una mente pero nadie sabe con exactitud dónde está localizada. Con el estudio y las investigaciones que hemos hecho, comprendimos que no importa dónde se encuentre. Lo importante es saber que la mente es el poder que se nos ha dado a través del cual podemos modificar las cosas y condiciones que consideremos que no son convenientes o crear nuevas condiciones o ambiente que deseemos tener.

La mente tiene dos niveles de actividad llamados: Mente Consciente y Mente Subconsciente —y otros nombres más. Con la parte consciente piensas, visualizas, analizas, razonas, eliges y decretas. La función principal de esta parte de la mente es razonar. Es lo que nos hace diferentes al resto de la creación, la llamada vegetal, animal y mineral.

Por ejemplo, la vida vegetal no piensa ni razona, por lo tanto no, puede rechazar ni tomar ninguna decisión propia. Está sujeta a la Inteligencia que la creó y tiene su ciclo de existencia que es nacer, crecer, florecer y dar fruto según su especie, no puede decir "esta temporada no tengo el deseo de florecer o dar fruto".

La vida animal tampoco piensa ni toma decisiones por sí misma. Hay algunos animales que parecen tener inteligencia por su forma de actuar y obedecer. Pero si fueran inteligentes tendrían mente y cuidado porque hay seres humanos que responden de manera contraria a como lo hace un animal. Lo que parece ser inteligencia es su instinto de conservación finamente desarrollado.

A través de ese instinto se guían hacia lugares seguros donde encuentran lo necesario para su existencia. Por ejemplo, si tienes una mascota, puedes entrenarla y educarla como quieras que te responda y así lo hará, no puede negarse a obedecerte porque está bajo tu dominio.

La vida mineral es lo que llamamos cosas inanimadas, aparentan no tener vida pero hay algo dentro de ellas que las mueve y es lo que llamamos "energía". Ellas también tienen su ciclo, ahora las ves y mañana tal vez ya no estén, tampoco tienen una mente para pensar, simplemente son.

Como podemos analizar de todo esto, sobre todo este plano terrenal donde vivimos ahora, somos los más favorecidos por el Creador pues nos dio una mente para pensar y razonar; una libertad para escoger y tomar decisiones de aceptar o rechazar, y lo más importante, nos dotó de un poder para crear, lo cual nos hace ser co-creadores con Él. En la Biblia, en el primer capítulo del Génesis dice que fuimos *"...creados a Su imagen y semejanza. Varón y hembra los creó"*.

Lo anterior significa que somos creaciones Divinas, como vino a decir y demostrar Jesús en su propia persona, que somos lo que Dios es —Espíritu— y que tenemos lo que Él tiene —poder. Tal vez te parezca irreverente o hereje, pero no lo es. Si te menosprecias o te has menospreciado al considerarte "poca cosa" o falto de dignidad, entonces es muy difícil que aceptes esto, pero te invitamos a que lo analices detenida y diligentemente.

Que te quede muy claro que no estamos comparándonos con Dios ni con Su grandeza, estamos analizando y concluyendo que somos en esencia lo que Él es, Espíritu. Eso que te mueve, que hace latir tu corazón y que muchos llaman Alma o Energía, nosotros le llamamos Espíritu o Dios en nosotros, "La chispa o aliento Divino".

Puedes comprobar que tenemos el poder que Él usa para crear puesto que has tenido experiencias en tu vida ¿no es así? Bueno, ¿cómo crees que han aparecido estas experiencias, acaso de la nada? ¿Fueron casualidades, pruebas, castigos o acaso una chiripa? Por supuesto que lo anterior no fue hecho de la nada. Tú mismo originaste todo a través del poder de tu mente y tu modo habitual de pensar.

Lo creas o no, lo aceptes o no, todo lo que experimentas en la vida es el resultado lógico de tu forma de pensar. Todo lo que ocurre ahora a tu alrededor es un reflejo de tu interior porque, *"como es por dentro es por fuera"*. Como ya hemos dicho, tu pensamiento es creativo por naturaleza.

Todo lo que has creído, bueno o no bueno y verdadero o falso, ha sido almacenado en tu parte subconsciente que es el almacén de la memoria y a la vez el proceso creativo que origina los sucesos de acuerdo a la clase de pensamientos que tienes. Compara este proceso con la tierra donde plantas tus semillas, ellas producen de acuerdo a su naturaleza y en el tiempo debido. De igual manera, el Poder en ti da los resultados de lo que hayas elegido.

Creemos que hay solamente una vida, una sola vente. No tenemos una mente separada de la de Dios, tenemos la mente de Dios en forma individualizada pero no dividida, sino unida a Él. Este es el reto más grande que todos enfrentamos al principio, convencernos de esta Verdad. La Biblia lo dice también: ***"Deja que esté en ti la misma mente que estuvo también en Cristo Jesús"***.

Si existe sólo Una mente, quiere decir que la misma mente que usó Jesús es la misma mente que ahora usas tú y toda la humanidad. Por esta razón, Jesús dijo: ***"Las cosas que yo hago, tú las harás también. Y cosas más grandes hará él, si tan sólo cree"***. El nombre de Jesús es un nombre común, como Juan, pero la palabra Cristo se refiere al iluminado, a la Presencia Divina individualizada en todos y cada uno de nosotros, de ahí el principio espiritual dentro del hombre.

Jesús, más que ninguna otra persona en la historia humana encarnó la exaltada idea del Cristo, porque él reconoció y comprendió plenamente su naturaleza Divina y enseñó a otros el hecho de que cada hombre es un individuo creado por Dios. Él fue la expresión de la Única Vida, la individualización de la Mente Única. Así, el potencial de nuestra experiencia es la expresión de lo Divino en plenitud y reside en cada uno de nosotros que está esperando la renovación de nuestra mente. Logras lo anterior cuando comprendes conscientemente que también eres parte de Dios.

Esto equivale a "volver a nacer", a mantener una nueva forma de pensar, y en la medida en que abres la mente a este nuevo modo de pensar, es más fácil creer y aceptar tu Divinidad, verás con claridad el camino que te lleva a lograr el propósito para el cual fuiste creado y así expresar la naturaleza de lo Divino, el Origen de tu verdadero ser. En el aspecto humano somos limitados porque somos sólo una expresión; en el aspecto espiritual somos potencialmente ilimitados.

La mayoría de los problemas surgen del hecho de no comprender que tus experiencias se forjan de acuerdo al patrón de tus pensamientos. Ahí donde te encuentras ahora, estás rodeado por la Inteligencia Creativa que recibe la impresión de tus pensamientos y Ella actúa en consecuencia, lleva siempre a tu experiencia aquellas cosas conscientes e inconscientes en ti. De ahí que no ponemos el poder en el pensamiento sino que nos servimos de él, ya que por naturaleza reside en la mente.

Las experiencias que has creado son tu responsabilidad porque todo el tiempo estás usando el poder de la Única Mente de la cual eres parte. Recuerda que tu pensamiento es un conducto o camino para la acción de la Mente Creativa en ti. Ya sea que te des cuenta o no, tu pensamiento permite la creación de las condiciones de tu cuerpo, ya sea para curarlo o enfermarlo; para tener libertad financiera o vivir en la carencia de dinero; para vivir feliz o desdichado; tener éxito o fracasar siempre.

A través del pensamiento puedes controlar circunstancias y condiciones al tornarlas afortunadas. Manifiesta sólo cosas buenas enfocándolo únicamente en ver el bien y en lo bueno. Nadie entiende el proceso de la ciencia mental sino hasta que llega a ver que en verdad es el hombre el que "siembra" —con su pensamiento— y es Dios quien da en aumento. El hombre piensa y la Ley Mental lo manifiesta, ésta es la mecánica, el modo, la simpleza con que trabaja este Poder en nosotros.

Es la realización de tu unidad consciente con el Eterno Dador lo que da nacimiento al poder del pensamiento y palabra para que se realicen tus deseos. Todos usamos la misma Mente, el mismo Poder porque todos somos unidad espiritual. Por lo tanto, como creación Divina fuiste creado con libertad —el libre albedrío. Libre para escoger a través de tus pensamientos. Y a través de ellos creas las experiencias en tu vida, ya sean buenas o no buenas, eso depende de ti, no de Dios. Él ya te dio todo lo bueno, te toca escoger, ¿estás haciendo buenas elecciones?

ORACIÓN PARA EXTRAER
LA ABUNDANCIA

"Yo reconozco y nutro las semillas de abundancia dentro de mí. Ellas crecen, florecen maravillosa y abundantemente y me abastecen. Se expresan como salud en mi cuerpo y en mi cuenta bancaria. Amor en mis relaciones y actividad creativa.

"Yo ahora soy abundantemente abastecido en todas formas. No hay ninguna parte de mi vida que tenga limitaciones, tampoco hay carencias.

"Yo gozo de prosperidad, abundancia, éxito, salud y paz mental porque todo esto proviene de la Fuente infinita e inagotable que es Dios en mí.

"Mis pensamientos son siempre guiados por la Sabiduría Divina. La Luz del Amor Divino ilumina mi mente para que yo pueda ver con claridad que todo está bien en mi vida, ahora y siempre.

"Gracias Padre-Madre-Dios por Tu abundancia la cual está siempre disponible para mí y para todo aquel que la acepta. Yo lo creo y la acepto con gratitud, sabiendo que Así Es. Amén".

Capítulo 8

CONCEPTOS
ACERCA DEL DINERO

El dinero sirve como un medio de intercambio, también representa libertad financiera en tu vida. Con él te das muchos lujos y puedes tener una educación refinada y mil cosas más. Pero antes de que apareciera a la vista del hombre, sin duda ya existía —al igual que la electricidad y múltiples cosas más— en el mundo espiritual.

Llegó el tiempo en que alguien estaba listo para recibir en su mente la idea de cómo hacerlo para facilitar la adquisición de cosas o el pago por ellas. Por ejemplo, muchos usamos el medio circulante o bonos negociables para hacer transacciones de un lugar a otro, incluso de un país a otro, a través de la banca o tarjetas de crédito sin necesidad de salir de la oficina o de la casa.

No hay duda que fue una grandiosa idea pues es mucho más fácil firmar un cheque que llevar un rebaño de ovejas a otra ciudad para pagar una deuda o para cambiarlo por cosas, como se hacía cuando no existía el dinero. Por consiguiente, deducimos que así como han venido todas las cosas que ahora ves objetivamente, el dinero también proviene de una idea Divina a través de la mente del hombre.

Al provenir de una Idea Divina, el dinero no puede ser malo o tener algo de impuro como algunos creen o tienen ese concepto erróneo. Por supuesto que cuando se convierte en el objeto de tu vida y los bienes en tus tesoros, entonces —*"ahí donde esté tu tesoro allí estará tu corazón"*— si piensas de esa forma, te convertirás en esclavo del dinero y de tus posesiones. Ya no poseerás al dinero y las posesiones sino que ellos te poseerán a ti. Igualmente, si piensas y actúas de esa manera, se frustrará la creatividad inherente a ti, también inhibe el crecimiento espiritual en tu vida y se convierte en una clase de fuerza maligna que muchas veces ocasiona avaricia, deshonestidad y soborno.

Hay mucha gente que cree que *"el dinero es la raíz de todo mal"*. Pero ésta es una tergiversación de lo que la Biblia declara: **"Porque raíz de todos los males es el amor al dinero"** (1 Ti. 6:10) Por lo tanto, el problema no estriba en el dinero mismo sino en nuestras actitudes acerca de él, así como el uso que le demos. En el libro *Guarda una Cuaresma verdadera,* Charles Fillmore dice: "Vigila tu pensamiento cuando estés manejando tu dinero, porque está sujeto a través de tu mente a la fuente única de toda sustancia y todo dinero. Cuando pienses en tu dinero visible como algo directamente sujeto a una fuente invisible que da o retiene de acuerdo con tu pensamiento, tienes la llave para todas las riquezas y la razón de toda carencia".

El señor Fillmore está diciendo que el dinero proviene de la Fuente inagotable —Dios— a través de nuestra mente, o sea, si afirmas: **"Toda mi provisión, incluyendo dinero, viene a mí de la Fuente Única que es mi Padre**

Celestial, Gracias Dios". Entonces serás provisto con abundancia de todas las cosas que necesites, incluyendo dinero.

Pero tienes que mantenerte firme y aferrarte a esta creencia, poner toda tu fe y convicción en ella hasta ver realizado tu propósito. Es la forma correcta de hacer tu reclamo —no como la vieja forma de "pedir" porque *"antes de que pidas ya te ha sido dado"*— así debes trabajar, pues se te ha dicho que nada es gratis en la vida y que *"ganarás el pan con el sudor de tu frente"*. Si analizas estas formas y creencias llegarás a la misma conclusión que hemos llegado nosotros: Nada de eso es verdad.

Debes saber que cuando pides, inconscientemente estás afirmando que no tienes porque si tuvieras no pedirías. Como el Poder Creativo en ti —o la Ley Mental que sólo obedece y crea todo lo que declaras— siempre acepta sin argumentar tus declaraciones, en este caso específico, si alguien dice que no tiene pues claro que no tendrá. No es que el Poder no quiera darle sino que obedece lo que la persona declara. Por esta razón cambiamos la palabra "pedir" por "reclamar".

Para nosotros, hacer tu reclamo equivale a ordenar a la Ley Mental en ti que te haga llegar lo que de momento estás "requiriendo" —en vez de "necesitando". Son juegos de palabras que tienen importancia pues puedes entorpecer la realización de tus deseos depende de tus creencias en ellas.

Desde siempre, la escasez, pobreza y limitaciones han preocupado al hombre y su creencia en ellas lo han mantenido en la indigencia. La humanidad experimenta estas creencias porque inconscientemente las ha aceptado. Muchos ignoran que "pensar es crear" y todo aquel que piensa que no tiene, que carece de todo, no puede experimentar otra cosa más que su equivalente mental, o sea, lo que tiene establecido como creencia dentro de él.

El Creador nunca ha limitado a Su creación —o sea a nosotros y todo lo que tiene vida. Él nos ha dado a nosotros—Su más grande y gloriosa creación— una mente para pensar y una libertad para escoger, decidir, aceptar o rechazar. Somos los únicos que tienen una mente para pensar, para razonar y fuimos dotados de un poder para crear de acuerdo a nuestros pensamientos. Con todas estas cualidades deberíamos vivir una vida sin enfermedades, sin carencias ni limitaciones de ninguna clase pues tenemos todo lo necesario para proveernos de lo que necesitemos para vivir felizmente y en la opulencia.

Pero como dijimos antes, se nos ha programado para preocuparnos. Si analizas la "preocupación" te darás cuenta que preocuparte no resuelve ninguna situación o condición. Por el contrario, muchas veces las empeora o aleja aquello que deseas tener. Entonces, ¿cuál es el propósito de preocuparte?

El Maestro Jesús, el más grande metafísico de todos los tiempos, sabía de la necesidad del ser humano, de sus carencias, limitaciones y de sus constantes preocupaciones. En el Sermón del Monte, ante más de cinco mil almas, dijo: *"Por tanto os digo: No os angustiéis por vuestra vida, qué habéis de comer o qué habéis de beber; ni por vuestro cuerpo, qué habéis de vestir. ¿No es la vida más que el alimento y el cuerpo más que el vestido? Mirad las aves del Cielo que no siembran ni siegan, ni recogen en graneros; y, sin embargo, nuestro Padre celestial las ali-menta. ¿No valéis vosotros mucho más que ellas? ¿Y quién de vosotros podrá, por mucho que se angustie, añadir a su estatura un codo? Y por el vestido, ¿porqué os angustiáis? Considerad los lirios del campo, cómo crecen; no trabajan ni hilan; pero os digo que ni aun Salomón con toda su gloria se vistió como uno de ellos. Y si la hierba del campo, que hoy es y mañana se quema en el horno, Dios la viste así, ¿no hará mucho más a vosotros, hombres de poca fe?".*

Esta tremenda declaración hecha hace dos mil años por el Maestro, aún nos ruboriza en nuestros días. Y es que mucha gente tanto ayer como hoy, vive preocupada por todas esas cosas a las que se refiere.

La gente se preocupa porque no le alcanza con lo que gana y porque cada día las cosas están más caras y, lamentablemente, la preocupación por todo esto de nada le sirve porque con ello no resuelve nada, por el contrario, con su erróneo pensar está creando aún más la escasez en su vida. Ignora que la vida se vive de adentro hacia fuera, no viceversa. Con esa actitud, lo que hace es impedir que la vida que está viviendo se cumpla a sí misma de acuerdo al Plan Divino. Y, ¿cuál es ese Plan Divino? Es vivir una vida feliz, rodeado de todo lo bueno para gozarla a plenitud.

Por esta razón, la guerra contra la pobreza se ganará sólo a través de la educación en el arte de pensar prósperamente. Es la Verdad lo que hará libre a los hombres y no hay ningún otro camino. Esto es lo que en realidad enseñó Jesús al decir: *"Conoceréis la Verdad y la Verdad os hará libres"*. Libres de falsas creencias, de influencias y sugestiones de otros, de carencias y limitaciones y de todo lo que sea contrario a nuestro bien. Todos tenemos una verdad, ¿cuál es la tuya?

Si estás viviendo la Verdad absoluta que proclama el Maestro, entonces te felicitamos de todo corazón porque en tu vida no habrá carencias ni limitaciones de ninguna clase y en ninguna de tus áreas. Disfrutarás de una completa salud, felicidad, riqueza y éxito, lo cual no se mide por lo que se tiene acumulado, sino por el nivel de conciencia que se haya logrado.

LA VERDADERA FUENTE DE NUESTRA RIQUEZA

Si piensas que la única forma de obtener riqueza y éxito es trabajando y esforzándose físicamente, entonces dentro de tu mente existe la vieja creencia de *"ganarás el pan con el sudor de tu frente"*. Pero no siempre es así, la mejor forma de conseguirlo es trabajar sin esforzarse ni física ni mentalmente, es decir, trabajar sin que ello implique esfuerzo excesivo y perjudicial.

¿Cómo lograrlo? Haz las cosas que te gusta hacer y hazlas por el placer y la alegría que ellas te proporcionan, sabiendo que con ello contribuyes a tu bienestar y el de otros. La prosperidad permanente está en tu mente o forma de pensar. Es una sencilla convicción subconsciente que radica en todos y cada uno de nosotros.

No puedes lograr ser rico y próspero con sólo decir "yo soy rico, soy millonario". Para lograrlo, primero tienes que mantener una imagen mental consciente de riqueza. Debes tener una idea bien clara y precisa de prosperidad y abundancia que se logra a través de la práctica de la visualización. Hacer afirmaciones de prosperidad, riqueza, éxito y paz mental mantendrá tu mente consciente ocupada en algo constructivo y productivo, porque al afirmarlo, estos pensamientos se arraigan en tu subconciencia, la cual te dará prosperidad y abundancia como respuesta. Entre menos tiempo pienses en lo contrario, más pronto obtendrás lo que realmente deseas experimentar, riqueza y éxito.

La envidia es una de las causas comunes que originan las dificultades financieras al ser humano y a veces comprende muy tarde estas amargas experiencias. Analiza tu pensar al respecto, si alguien con quien no llevas una buena relación te cuenta que recién se sacó la lotería o que heredó una gran fortuna mientras tú te encuentras en bancarrota, ¿te alegraría o te daría envidia?

Ten mucho cuidado, si lo anterior te perturba y sientes coraje o envidia, tú tienes el poder de controlar tus pensamientos, emociones y sentimientos. Por ningun motivo te conviene mantener contigo esos pensamientos pues son devastadores; al establecerse en tu mente subconsciente harán que la riqueza se aleje de ti en vez de atraerla hacia ti. Si te perturba o enfurece la riqueza de otro, afirma: *"Sinceramente me alegro de la prosperidad de..."*. De esta forma neutralizas los pensamientos negativos, y en cambio, tus buenos deseos harán que venga a ti con mayor fluidez la riqueza producida por la Ley de tu mente.

No desvíes tu atención al preocuparte y criticar la forma en que la gente gana dinero en forma deshonesta o fraudulenta. Debes saber que las personas que lo obtienen de esta manera están utilizando la Ley Mental en forma negativa, y esta misma Ley se encargará de corregirles. De manera que procura mantenerte siempre en paz contigo mismo y con todas las personas para no poner ningún obstáculo mental a tu prosperidad. Recuerda que la riqueza es un derecho Divino que todos poseemos porque está en la mente y cada cual debe buscarla dentro de sí mismo, no afuera.

NUESTRO DERECHO DIVINO A LA RIQUEZA

Todos nacimos para vivir en la abundancia, para tener una vida radiante y una completa libertad financiera. El Padre Celestial te dotó de una mente donde radica tu poder y a través de la cual puedes tener todo el dinero necesario para vivir una vida rodeada de riqueza, prosperidad, feliz y dichosa, como son tus deseos.

Si realmente aceptas que eres *"imagen y semejanza"* de tu Creador, entonces todos tenemos el mismo derecho de desarrollarnos y expresarnos a plenitud en todas las áreas de la vida, tanto física como espiritual. Lo anterior incluye el derecho a la riqueza, porque a través de ella es como puedes glorificar a Dios, no en la pobreza como algunos creen.

No es malo aspirar a tener dinero o incrementarlo si con ello puedes vivir y sentirte con más seguridad financiera y además puedes ayudar a los demás; entonces estás actuando de acuerdo con la Ley pues así no interfieres con nadie. Es una necesidad cósmica que vivamos rodeados de riqueza, salud, prosperidad y llenos de gozo.

Para que la riqueza sea permanente, tienes que reconocer que proviene del espíritu en ti, en otras palabras, es producida por el poder mental subconsciente de acuerdo al patrón consciente que has establecido.

Tú puedes ser una persona rica permanentemente al conocer y aplicar de manera correcta el mecanismo de tu mente y los principios básicos de las Leyes Mentales que nos rigen y sostienen. Todo iniciado en dichas Leyes cree y sabe que siempre tendrá suficiente para vivir en la prosperidad, libre de preocupaciones acerca del dinero. A él no le importa la situación económica que prevalezca, ni las fluctuaciones del mercado bursátil, ni la inflación o bancarrota gubernamental.

Siempre se mantendrá sereno, relajado y en paz pues ha saturado su subconsciente con ideas de riqueza y prosperidad y tiene la firme convicción que este Poder siempre le obedece y le suministra en la forma en que lo necesite, incluso si se trata de dinero. Él está mentalmente convencido que el dinero circula libremente en su vida y que lo obtiene siempre en cantidad suficiente y en el momento preciso.

Debes vivir y mantener una vida equilibrada. No sólo debes enfocarte en el dinero porque eso ocasionaría un cortocircuito en tu vida. También debes establecer en ti la armonía, satisfacer tus ansias por la paz mental, la felicidad, bondad, salud perfecta y dar una expresión adecuada a tus talentos así como el deseo sincero de contribuir al bienestar de los demás.

Nadie nació para vivir siempre en la pobreza y vestir sólo andrajos, tampoco para padecer de hambre. Todas esas condiciones son creadas por la mente humana que ignora quién realmente es el hombre.

Hay un principio de vida en nosotros —es Dios en nosotros expresándose como nosotros— y él nos lleva hacia el desarrollo y la expansión y vivir una vida con abundancia cuando lo reconocemos y nos unimos a él mentalmente. Así es que todos, sin excepción, debemos gozar de felicidad, ser ricos, prósperos y llenos de éxito en todo. Mantén la mente libre de superstición o sobrenatural acerca del dinero, no lo mires como algo maléfico e impuro porque si persistes con esta idea, volará lejos de ti. Tenlo presente, si lo condenas lo perderás. No culpes a nadie si te sucede.

La siguiente es una oración muy efectiva si deseas multiplicar tu dinero y tenerlo siempre contigo con oportunidad para cubrir cualquier requerimiento. Por lo menos debes afirmarlo tres veces al día o todas las veces que puedas hasta establecerlo como un equivalente mental en tu subconsciente para que vivas siempre rodeado de él.

"El dinero es una Idea Divina, por lo tanto, es bueno, muy bueno. Yo utilizo con sabiduría el dinero, lo uso constructiva y adecuadamente. Él circula en suficiente cantidad en mi vida y así como lo pongo a circular, regresa a mí multiplicado. Todo el dinero que viene a mí sé que proviene de Dios, mi Fuente inagotable de provisión. Al usar el dinero para mi bien y el de los demás, estará haciendo su función para lo que fue creado. Gracias Dios por proveernos a todos de Tu sustancia manifestada en forma de dinero, dinero y más dinero. Amén".

Capítulo 9

LOS BENEFICIOS
DEL DIEZMO

Mucha gente no ha sido informada correctamente acerca de los beneficios que se obtienen al aplicar la Ley Espiritual del Diezmo. Algunos piensan que cuando dan el Diezmo, esta dádiva disminuye su provisión de dinero y hay quienes dicen que con lo que perciben no completan para hacer sus pagos, mucho menos tienen para dar el Diezmo.

El Diezmo es la retribución o devolución que hacemos en forma voluntaria y regular al Padre Espiritual, la Fuente Infinita de provisión. Él nos ha dado o provisto de dinero a través de los canales o medios que posee; a través de un negocio, alguna inversión, un salario, un obsequio o bono recibido, la venta de algún objeto, propiedad o cualquier otro ingreso. Todo Diezmo que se da con libertad y amor constituye una verdadera ofrenda de amor.

En otras palabras, una ofrenda de amor también se considera como un donativo que uno desee otorgar, pero no podría considerarse como Diezmo a menos que represente el diez por ciento de los ingresos. El principio espiritual del Diezmo nunca varía, siempre es igual y permanente porque es una Ley universal en su función de acuerdo a su correcta aplicación.

Lo primero que consideran las personas que diezman es que están regresándole a Dios la décima parte de lo mucho que les ha dado y que esta décima contribuye para Sus obras. Las obras de Dios lógicamente son de carácter espiritual, o sea, sacar de la ignorancia al ser humano por medio de la enseñanza de la verdad que lo libera de las falsas creencias y limitaciones al reconocer su verdadera esencia espiritual.

El Diezmo debe ser separado antes de considerar cualquier necesidad personal. Por ejemplo, en un negocio debe deducirse de las ganancias netas o de la parte de la ganancia que el dueño considere que le pertenece. No obstante, hay varios casos de personas que dan mucho más del diez por ciento de sus ganancias y han sido remunerados grandemente por esta Ley espiritual porque todo lo que sale de nosotros con amor y gratitud siempre regresa multiplicado.

La Ley que gobierna y enriquece a la naturaleza es la misma que nos gobierna de acuerdo al uso que hacemos de ella. Si siembras un hueso de durazno —o melocotón— ¿cuántos duraznos te da un árbol y durante cuánto tiempo cosechas? ¿No es abundante la generosidad de esta Ley de la naturaleza? Pues del mismo modo opera la Ley del Diezmo cuando la pones en acción correctamente.

Como mencionamos al principio, lamentablemente no hemos sido bien informados acerca del Diezmo; pero para muchos, el concepto de dar con generosidad trae recompensa aunque parezca ir en contra del sentido común.

Desechar esta idea puede ser la razón principal del miedo y preocupación sobre la seguridad financiera en todo ser humano.

En los Estados Unidos de Norteamérica es muy común que la gente diezme y no dudes que por eso hayan prosperado con más rapidez que la gente de otros países que no lo hace apropiadamente.

Precisamente en Estados Unidos aprendimos cómo dar el Diezmo y te decimos con honestidad que sí funciona. Se han hecho encuestas sobre las personas que diezman y los resultados obtenidos han dado testimonio de su efectividad. Por ejemplo, en 1894, el reporte obtenido fue que el 23% de la población estadounidense adulta entrevistada dijo que "siempre" o "casi siempre" tenía dificultad para solventar sus necesidades económicas cada mes. Otro 27% dijo que "frecuentemente" tenía el mismo problema, lo cual indicaba que la mitad de la población vivía con dificultades financieras.

El otro 50% dijo que desde que empezó a diezmar, jamás había tenido más problemas financieros e incluso su salud había mejorado. Algunos de los entrevistados agregaron que antes de diezmar, el dinero se les iba en hospitalización o en pagar algún daño sufrido. Aprendieron que nadie puede quedarse con lo que pertenece a Dios pues Su Ley cobra en alguna forma lo que no nos pertenece.

En la Biblia existen muchos pasajes con promesas acerca de las bendiciones materiales para quienes dan el Diezmo de todo lo que perciben. Tal vez el más conocido es el de Malaquías 3:10 que hace referencia al 10% del salario y dice: *"Traed todos tus Diezmos dentro del granero. Y pruébame, dice el Señor; si no te abriré las ventanas del Cielo y derramaré sobre ti todas mis bendiciones que no habrá lugar para ellas".*

En Proverbios 3:9 y 11:24,25 se leen estas declaraciones: *"Honrad al Señor con las primeras frutas de todos tus productos y tus graneros serán llenados". "El hombre que da libremente, crece en todos los aspectos ricamente; y el otro que retiene lo que debería dar, él sólo va a sufrir por lo que quiere".* De los considerados mandamientos de Dios, incluyendo los diez mandamientos de Moisés, el del Diezmo es uno de los que más trae sufrimientos cuando no lo practicamos.

Pero, ¿cómo tomó lugar esta práctica de dar el 10%? Según los estudiosos de la materia, esta práctica de regresar una parte de lo que obtenemos tomó lugar hace más de diez mil años cuando el hombre primitivo era nómada y sus tribus se desplazaban a donde pudieran cazar y tener alimento. Cerca de ocho mil años a. C., la sociedad de las tribus empezó sistemáticamente a recolectar en el campo los granos que crecían y hacía barreras como un medio adicional para almacenar su alimento.

Después se dieron cuenta que la nueva cosecha de granos en el campo nacía y crecía de nuevo después de la temporada dentro de las mismas filas, como la anterior, sin que ellos hicieran algo para que sucediera. Así hicieron el gran descubrimiento; la nueva cosecha de primavera florecía de nuevo por las semillas que accidentalmente habían caído durante la recolección.

Como podemos notar, aprendieron por observación que entre más semillas dejaban caer de sus manos durante la cosecha, más tenían la siguiente temporada.

Así, en su forma nómada, estos hombres descubrieron que al "regresar" a la tierra lo que de ella habían recogido, tendrían más posteriormente sin preocupación y eso les permitió vivir mucho mejor. Gracias a este descubrimiento se dieron cuenta que si hubiesen retenido todas las semillas, inclusive las que se habían caído, no lo hubieran logrado.

En el Libro de Levíticos Cap. 27:30,32 dice: *"Todo Diezmo, sea de los productos de la tierra o de los frutos de los árboles, pertenece al Señor. Y de los rebaños y manadas consagradas para el Señor su Diezmo de todo lo que pasa bajo el cayado"*. Tal vez digas: "Bueno, eso estuvo bien para una sociedad primitiva, pero, ¿funciona en nuestro tiempo?".

Está bien que hagas esa pregunta y la respuesta es "sí", por supuesto que sí funciona aún en nuestros días porque es una Ley universal que no está sujeta al tiempo. Es permanente e impersonal, claro que es un trabajo profundo que cada quien tiene que realizar consigo mismo. Se tiene que hacer conciencia para concebirlo y enseguida ponerlo en práctica, y al hacerlo, uno mismo ve los resultados y toda duda desaparece.

Se cuenta que el señor Patrick Smith, presidente de una compañía manufacturera de productos eléctricos, decía que conocía muchas personas que regularmente asistían al servicio religioso y nunca supo de alguna de ellas que dejara de diezmar desde que empezaron a hacerlo. Su comentario fue que diezmar les dio abundantes bendiciones materiales, por lo tanto, no había porqué dejar de hacerlo.

William Volker inventó el roll-up (rollo de papel que ensombrece las ventanas), lo cual le dio enormes sumas de dinero cuando era un hombre muy joven.

Tenía varios millones de dólares. Su esposa y él decidieron dejar para ellos solamente un millón y donar el resto de su dinero a varias instituciones. Verdaderamente ésta es una decisión profunda para cualquiera que lo haga. Sus amigos pensaron que había perdido la cabeza.

Tiempo después, uno de sus amigos le dijo: "Yo estaba seguro que terminarías en una tumba paupérrima, pero mira, aquí estás y más rico que antes, no obstante el hecho de haber regalado el dinero que habías venido empujando hacia afuera por muchos años" El señor Volker le replicó: "Sí, yo he venido empujando el dinero hacia afuera, pero Dios me lo ha regresado en mayores cantidades y es que Dios tiene un empuje mucho más fuerte y grande".

En 1978, la Organización Gallup hizo una encuesta acerca del Diezmo con personas estadounidenses. La encuesta constaba de tres preguntas: 1) ¿Das el 10% o más de tu salario a alguna iglesia o institución de caridad? 2) ¿Conoces a alguien que dé el 10% de su salario a la iglesia o a alguna obra de caridad? Si la respuesta a la segunda pregunta era sí, se les preguntaba 3) Estas personas que dan el 10% o más, ¿tienen problemas financieros?

La mayoría de las personas estaban sorprendidas por resultado de la encuesta. En la primera pregunta, el resultado fue que el 22% de las personas entrevistadas daban el 10%

de su salario a la iglesia o para fines de caridad. Ahora analiza lo siguiente, más de una de cada cinco personas diezmaban.

Más sorprendentes aún fueron las respuestas a la segunda pregunta. El 46% respondió que sí y el 53% respondió que no, (el 1% no sabía). Lo anterior significa que aproximadamente la mitad de las personas entrevistadas dijo conocer a alguien que diera mucho más.

Pero la clave fue preguntar solamente a ese 46% que dijo no conocer a alguien que no diera el 10%, si esas personas tenían problemas financieros o no, sus respuestas revelan el poder de dar el Diezmo. El 16% no pudo responder a la pregunta pues no sabía nada acerca del estatus financiero de sus amigos o parientes que diezmaban. El 13% dijo que los que diezmaban tenían problemas financieros, pero el 87% afirmó no tener ningún problema financiero en sus asuntos.

La conclusión es ineludible. Los estadounidenses que razonan y saben, creen que las promesas de la Biblia son extremadamente buenas por las diferencias que dieron como resultado de la encuesta, 87 a 13. Estas mismas promesas están vigentes para todo aquel que desee probarlas. La preocupación por la falta de dinero se debe a la ignorancia de esta Ley espiritual del Diezmo, ya que aplicarla nos hace prósperos.

Claro que al principio es difícil tener control de uno mismo para alcanzar ese estado de conciencia acerca del Diezmo y sus beneficios. Nosotros primero tuvimos que hacer un autoanalisis de nuestra situación financiera, la manera en que la manejábamos y lo que producía o mermaba sin dar el Diezmo.

Cuando leímos lo que el señor Smith decía y las declaraciones de Gordon Groth basadas en cinco pasos para aplicar los beneficios del Diezmo, las seguimos al pie de la letra y obtuvimos resultados positivos; son las siguientes:

1. Sigue esta prueba de fuego. Muchas parejas decidieron dar el Diezmo durante un año, al final del cual hicieron una evaluación sobre ello y descubrieron que sí funciona. Yo considero que no es necesario un periodo tan largo para ver los resultados, en un plazo muy corto puedes evaluar si funciona o no para ti.

2. Resuelve en tu mente que sí es apropiado probar a Dios acerca de Sus promesas. Durante los años que he hablado del Diezmo, ha habido personas que me han preguntado sobre las promesas bíblicas, para lo cual siempre hago referencia al libro de Malaquías 3:10 y la historia de Gedeón cuando prueba a Dios en el Libro de Jueces 6:36,40. Dios habla a Gedeón al realizar un pequeño milagro para probarle que era Él.

   Después de ocurrido el milagro, Gedeón no se sentía satisfecho y volvió a probar a Dios con un vellón de lana, no una, sino dos veces. Tres en total fueron las pruebas, sin embargo, Dios no ardió en coraje contra él por su incredulidad.

3. En un libro, lleva la cuenta de los depósitos del salario que percibes. Si tienes una cuenta de ahorros, entonces tienes un récord de los depósitos de tu salario. Si es así, abre una segunda cuenta de ahorros, de preferencia en otro banco para que no haya confusión entre ambas.

4. Reconociendo que la Ley del Diezmo quizá no trabaje en ningun porcentaje figurativo menor al diez por ciento, aplicado este porcentaje a cada depósito bancario que hagas en tu cuenta, te recomendamos que cuando deposites tu cheque de pago —o cualquier otro pago que te den— gira de inmediato otro cheque a tu otra cuenta en el otro banco por el diez por ciento de ese depósito que acabas de realizar. Endosa el cheque y envíalo con la ficha de depósito a tu otra cuenta o hazlo personalmente.

Éste es el punto de uno de los milagros que ocurren al diezmar. Si das el diez por ciento a tu segunda cuenta, en un instante te darás cuenta que no has perdido. Yendo más lejos, al final del periodo de prueba, estarás financieramente mucho mejor de lo que ahora estás. Pero no debes esperar hasta final de mes para diezmar porque las oportunidades que puedas resolver durante el mes podrían fallarte.

5. Del dinero que recibes, tienes que decidir cuál puedes diezmar. Por ejemplo, el cheque de un préstamo que te hagan no está sujeto a Diezmo porque no es un pago directo de algun trabajo que hayas realizado. En cambio, si tienes una granja y vendes tu cosecha o lo que en ella críes, debes diezmar del monto neto de las ventas que hagas y antes de pagar impuestos.

Si recibes una herencia, debes recordar que en los tiempos bíblicos sólo diezmaban de lo que producía la tierra, no del valor de ella. Por lo tanto, en una herencia se diezma de la misma forma; solamente de los intereses que vienen a ti de ella si fuera alguna cuenta bancaria.

Cada persona debe determinar por sí misma cuál de sus ingresos debe diezmar. Aquí hay algunas sugerencias o ejemplos acerca de cómo diezmar salarios, comisiones, bonos, ganancias compartidas, dividendos, intereses recibidos, pensiones o aguinaldos.

En cuanto a decidir qué tanto en tu segunda cuenta bancaria irá a la iglesia y qué tanto para otras instituciones de caridad, primero tienes que dar el Diezmo al lugar de donde recibes tu alimento espiritual. Si es en tu iglesia, debes dar generosamente. Si amas a tu iglesia o centro espiritual, serás una persona generosa.

Se dice que no puedes dar sin amor porque no puedes amar sin dar. La mejor forma de expresar el amor a Dios es por medio de los regalos a la iglesia, centro espiritual o institución de caridad. Aunque no creemos que Dios quiera que veas con indiferencia a otras instituciones de caridad o culturales.

Las personas que hablan acerca del dar dicen que no se debe hacer en forma egoísta porque no es lo correcto, tampoco debes anunciar que estás haciéndolo. Quien diezma sin egoísmo y con amor siempre tiene suficiente para seguir dando y contribuyendo para los demás. Si diezmas honestamente para experimentar, notarás tres resultados en adición a tu incremento material.

Primero: Durante el primer año, el reconocimiento dentro de tu comunidad deberá incrementarse. Cuando una persona siente la obligación de repartir regularmente algo de su salario para mejorar las condiciones de su pueblo, forjará en sí mismo un buen patrón en su reputación. Tal vez en el pasado tuviste que dar bajo presión de otros y entonces trataste de obtener aunque sea un poco de lo que diste, pero no lo lograste; y no lo lograste porque no es la forma correcta de actuar. Todo debe de ser voluntariamente, sin ninguna presión.

Una vez que tu dinero ya esté depositado en la segunda cuenta bancaria, debes enfocar tu atención en dónde envías tu dinero para que sirva mejor.

Lo anterior hace una gran diferencia. La persona que te solicite ayuda, te reconocerá como un dador generoso. Si has oído decir que Dios ama a todos los que comparten con generosidad, entonces sé voluntario en tu tiempo libre para recaudar dinero necesario para que las iglesias o centros espirituales continúen abiertos, que los colegios prosigan impartiendo conocimiento y para que las sinfónicas sigan tocando. Respetamos tu deseo de ayudar, pero recuerda que el Diezmo es separado de toda otra ayuda que puedas dar.

Segundo: Recibirás un gran beneficio al diezmar pues tu disciplina financiera hará que prosperes grandemente. Distribuirás tu dinero con sabiduría, asimismo tus inversiones incrementarán tu riqueza porque las harás con sabiduría en el momento preciso de cualquier transacción o transferencia. Las bendiciones materiales que envía Dios no se hacen esperar, llegan de forma automática para todo aquel que diezma. Si lo haces por un año, te habrás forjado un hábito valuable que aplica un control a otros aspectos en tus gastos. Cuando el éxito financiero es construido sobre una base espiritual, entonces será permanente porque el éxito siempre trae más éxito.

Tercero: Este tercer resultado es el beneficio del júbilo que empieza a fluir dentro de tu vida. Muchos no saben lo divertido y benéfico que es dar. Es un placer muy especial y fácil de hacer cuando sabes que puedes hacerlo. Con el Diezmo, tu dinero siempre estará ahí, activo y seguro, haciendo las obras de Dios.

Esta Ley espiritual siempre está disponible para todos pues forma parte de la propia vida —no puedes separarte de ella— pero ignorarla es como si tuvieras todo el dinero necesario para vivir en la opulencia y no lo supieras. Hay personas que viven una vida de carencia y limitación lo cual origina que no sean felices ni disfruten de la alegría de vivir.

Había un hombre que estaba llegando al extremo de la desesperación a causa de la falta de dinero. Un sacerdote le dijo: "¿Porqué no pruebas dar el Diezmo?", él le respondió muy despectivamente: "Con el salario que percibo, no puedo dar absolutamente nada. Necesito desesperadamente cada centavo". Pasado un tiempo, el hombre empezó a ser un vendedor con éxito y dijo con soberbia al sacerdote: "Durante el año pasado logré ahorrar la suma de cuarenta mil dólares".

—Magnífico, ahora sí podrás dar tu Diezmo —respondió el sacerdote.

—¡¿Qué?! —contestó con un gran grito al cual todos voltearon y dijo iracundo—. ¿Tirar cuatro mil dólares? Usted debe estar loco.

La actitud arrogante y la falta de voluntad de dar, así como su temor a la escasez, han llevado a este hombre a vivir una vida nada envidiable. Ahora es un extraño para su familia y está pasando tragos amargos para subsistir. Vive de la caridad pública. Cuando diezmas, lo disfrutas plenamente; tienes una buena reputación, grandes demostraciones y lo mejor de todo es que te liberas de toda clase de preocupación, incluso acerca del dinero pues te llega de manera automática cuando es necesario.

Hace dos mil años, Jesús, el Gran Maestro metafísico, estableció la gran verdad fundamental acerca del Diezmo, dijo: *"Dad y se os dará; una buena medida, apretada, rellena, rebosante; porque con la medida con que midáis se os medirá a vosotros"* (Lucas 6:38). Te invitamos a que te atrevas a probar las promesas de Dios si es que deseas sanar tu vida financiera y vivir sin carencia ni preocupaciones acerca del dinero y todo lo que conlleva cuando no circula lo suficiente en tu diario vivir.

PREGUNTAS Y RESPUESTAS
ACERCA DEL DIEZMO

P. *¿Si Diezmo ahora, mis deudas no se retrasarán?*

R. Diezmar no disminuye tu dinero, por el contrario, lo aumenta cuando sabes que va consagrado a Dios y Sus obras. Puedes diezmar ahora mismo sin preocuparte de tus deudas porque, si lo haces con amor y comprensión, tus temores desaparecerán y siempre tendrás suficiente dinero para cubrir a tiempo tus compromisos financieros. El Diezmo ayuda a establecer Orden Divino en la mente y en tus asuntos; cuando esto es establecido, las deudas se desvanecen, las condiciones en desorden son eliminadas y nuevos campos de provisión son abiertos. No existe límite ni disminución en la abundancia que hay en Dios para todo aquel que usa Sus Leyes.

P. *El salario que percibo apenas me permite mantener el ritmo de vida al que estoy acostumbrado, las deudas cada vez me agobian más. Bajo esta presión, ¿cómo puedo diezmar?*

R. "Con Dios, todas las cosas son posibles", dice una declaración. No importa qué tan grandes sean tus necesidades o el ritmo de vida al que estés acostumbrado, Dios puede llenar todo. Al preocuparte, alejas lo que quieres, en este caso el dinero. Dios no puede proveerte de él porque mantienes en la mente una barrera mental de escasez y temor acerca del dinero. Cuando diezmas con amor y generosidad, todos tus asuntos financieros se establecen en Orden Divino y tu provisión de dinero aumenta en vez de disminuir. No retengas lo que pertenece a Dios; no demores tu dádiva porque esto demora tu vivir como verdadero hijo de Dios, tu Rico Padre.

P. *Siento que debo diezmar, pero mi razonamiento dice que primero estabilice mis gastos y espere a tener más dinero para hacerlo. ¿Qué puedo hacer?*

R. El sentimiento interno siempre te impulsa a hacer lo correcto, y en este caso te indica que ahora es el tiempo, el momento. Tu razonamiento te dice lo contrario, que debes esperar, pero ¿cuánto tiempo? Las personas que esperan tener suficiente para empezar a diezmar, por lo general nunca comienzan. Empezar a diezmar con amor y sinceridad hacia Dios y Sus obras es como si alguien que estuviese enfermo y adolorido estuviera dando gracias a Dios por la salud perfecta.

Tan pronto como aceptes conscientemente la perfección en tu cuerpo, la Ley mental te dará el resultado, un cuerpo perfecto. Si una persona da aun sin conocer la Ley del Diezmo, descubrirá que sus necesidades financieras son atendidas igual o mejor que antes de descontar la décima parte de su salario. Se siente libre al dar y esa libertad le hace ofrendar con sinceridad viviendo así conforme a la Ley divina y ésta hace cosas maravillosas por ella.

P. *Estuve diezmando, pero mis gastos aumentaron y dejé de hacerlo. Ahora mis deudas se duplicaron y estoy peor que antes. Estoy muy confundido, ¿qué hago?*

R. "Manténte tranquilo y sabe que Yo Soy Dios". No dejes que la confusión nuble tu corazón y mente. Permite que el amor Divino inunde tu alma de paz y elimine toda incertidumbre y confusión. No enfoques tu atención en lo que no quieres, por el contrario, mantén tu enfoque en lo que realmente quieres. Debes saber que la Ley mental siempre dice "sí" a todo lo que le das atención o energía. Si estás afirmando que no te alcanza con lo que ganas para cubrir tus compromisos y que estos están aumentando, la Ley te dice: "Sí, tienes razón, no hay suficiente para cubrir los gastos y estos aumentan". Debes cambiar tu manera de pensar para que las cosas cambien. Nunca pienses que al dar tu Diezmo saldarás tus deudas porque no es la forma correcta.

Hace tiempo, vino una persona para que orientáramos a su hijo que estaba desilusionado porque daba su Diezmo pero no obtenía el resultado que esperaba. La piedra de tropiezo estaba en su errónea forma de pensar acerca del Diezmo. Creía que al darlo, éste lo sacaría de todos sus apuros económicos y esa era su perdición. Le explicamos que cuando nosotros damos el Diezmo a Dios, lo hacemos amorosa e incondicionalmente. Sólo estamos regresando al Proveedor la décima parte de lo mucho que Él nos da para que Sus obras continúen.

Al comprender este joven que estaba pensando equivocadamente y al hacerlo como se le indicó, la respuesta no se hizo esperar. Una semana después de nuestra entrevista, nos comunicó que un proveedor que conoció le regaló una gran cantidad de retazos de pieles y como él fabricaba a mano bolsos para dama con "parches" de colores en piel, sin duda fue la respuesta de la Ley divina que puso en movimiento a través del Diezmo.

El caso anterior no es la excepción, ya otras personas nos han comunicado su decisión de dejar de diezmar. Sin embargo, todos ellos lo reanudaron con el convencimiento de que les abre un canal a través del cual fluye el amor Divino y han demostrado prosperidad, aunque para diezmar hayan tenido que reducir sus gastos. Analiza cómo estás pensando y cambia tu manera de pensar para que cambie tu vida, así de simple.

P. *Soy el único sostén de mi madre, es viuda y de edad avanzada. Como nunca trabajó fuera del hogar no tiene pensión. ¿Puedo ayudarla con algún dinero aunque sea del Diezmo que tengo dedicado a Dios?*

R. Estamos seguros, al igual que tú debes estarlo, que Dios no desea que dejes desamparada a tu mamá para cumplir al pie de la letra su Ley del Diezmo. Sólo piensa que estás usando el dinero que has consagrado a Dios con el propósito de ayudar a otros en la búsqueda de la verdad.

Por consiguiente este dinero servirá con un doble fin: satisfacer las necesidades temporales de tu mamá y activarla espiritualmente para que de manera consciente acepte que su única Fuente de provisión es Dios, sin importar el canal por el cual le llegue. De igual forma, al saberlo aumentarás tu provisión de dinero de tal manera que podrás ayudar no sólo a tu mamá, sino a otros y siempre tendrás lo suficiente para tu Diezmo y obligaciones financieras.

Confía siempre en que el Eterno Dador es quien provee a tu mamá, no limites los canales y medios que tiene Dios a través de los cuales puede venir Su bien para ella. Afirma que todas las puertas y canales, así como los medios de provisión, están abiertos y receptivos para que su bien fluya hacia ella de todas partes, incluyéndote a ti mismo. Recuerda siempre que Dios hace por nosotros lo que Él hace a través de nosotros.

P. *No separo el Diezmo para las obras del Señor pero doy libremente a personas que están en necesidad financiera y material. Pienso que estoy dando más del diez por ciento, ¿no equivale esto a cumplir con el Diezmo?*

R. Al hacerlo de esta manera, sin duda eres bendecido por Dios, Él te ilumina y dirige para que seas un canal de ayuda para otros. No obstante, el Diezmo en su sentido estricto es la devolución del diez por ciento de la entrada que percibe una persona —por algún trabajo realizado o por otro medio— para el sostenimiento del ministerio de Dios, ya sea en un templo o centro donde se enseña la verdad o donde se da el alimento espiritual —donde se enseña el reconocimiento de la verdadera esencia de lo que somos los seres humanos, Hijos de Dios, por lo tanto seres espirituales y Divinos como enseñó Jesús, el Cristo.

El objeto de toda dádiva u obra de caridad no debe ser sólo atender una necesidad que tendrá que atenderse hoy, mañana y los días subsiguientes. Tal objeto debe ser siempre impartir conocimiento e ideas al que está en aparente necesidad —no hacerlo dependiente— sino ayudarle e inspirarle para que edifique una conciencia creadora, por lo tanto autosuficiente, que lo habilite para producir o hacer algo que le proporcione su propio sustento. Para realizarlo, una persona podrá de vez en cuando usar una parte de su Diezmo.

Nunca debes pensar que las personas que aparentan estar en necesidad son pobres porque no es así, Dios es su provisión y sostén al igual que tú, sólo que no lo saben. Ellas están pasando por esas experiencias, pero la luz les llegará a su debido tiempo y tal vez tú seas esa luz que ilumine sus mentes para que salgan de la oscuridad de la ignorancia a la realidad. Declara la verdad para ellos y confía en Dios-en-ellos, quien siempre está presto a satisfacer sus necesidades por medio de su propia fe y convicción.

P. *Yo deseo diezmar, pero tengo conflictos con mi familia acerca del Diezmo. ¿Cómo debo hacer para darlo con libertad?*

R. Diezmar contribuye para armonizarte y al mismo tiempo armoniza tu ambiente. No debe ser una fuente de discordia, y no lo es si la persona que desea diezmar pone el asunto en manos de Dios y coopera con Él para ajustar sus finanzas. Si algún miembro de tu familia se opone a que diezmes, no discutas con él. En silencio bendícelo y declara que como hijo de Dios eres un ser libre, por lo tanto, que no te perturbe lo que opine o piense de ti, sigue con tu propósito y da tu Diezmo. El Espíritu de Dios en ti te dirigirá y serás bendecido y prosperado ricamente.

Recibes de acuerdo a lo que das, digas o pienses, no lo que otros den, digan o piensen. Cada cual depende de sí mismo porque Dios está en todos y cada uno por igual; reconocer lo anterior hace la única diferencia.

P. *Somos un matrimonio que desea diezmar pero ambos tenemos diferentes puntos de vista acerca de cómo hacerlo. ¿Qué hacer?*

R. Ya que ambos tienen diferentes puntos de vista en cuanto a cómo diezmar, la mejor sugerencia es que dividan el Diezmo y que cada cual use su propio criterio para dar. Recuerden que todos poseemos la libertad o libre albedrío que el Creador nos dio para escoger y tomar decisiones propias. Aún a riesgo de equivocarse, deben escoger porque esto les ayuda a madurar, valorar y crecer física y espiritualmente.

P. *No recibo un salario ni cheque de pensión para dar mi Diezmo, sin embargo, dedico mi tiempo ayudando a los demás como leer a un invidente, dar lecciones de música a niños que no pueden pagar una escuela, ayudar en la cocina de una iglesia y visitar algunos enfermos de la comunidad. ¿Es ésta una forma de diezmar?*

R. Si realizas con verdadero amor esto que estás haciendo, inspirado por tu Cristo interno, entonces estás diezmando a plenitud en tiempo y servicio. Si mantienes firme esta disposición, el camino se abrirá para que recibas dinero suficiente y experimentes la alegría adicional que representa diezmar financieramente. Recuerda que Dios ama a todos los que dan.

P. *Yo insisto a mi hijo y a su esposa que deben diezmar para que salgan de sus apuros financieros pero no quieren hacerlo. Yo lo hago y jamás tengo esa preocupación. ¿Qué puedo hacer?*

R. No puedes obligar a nadie a creer. Para todo hay un tiempo, incluso para diezmar. Tú continúa haciendo lo tuyo, sigue demostrando tu prosperidad y manteniéndote en completa paz y serenidad. Cuando vean que ya no les insistes y que continúa en aumento tu tranquilidad financiera, se acercarán a ti para que les compartas la forma de hacerlo. No es de sabios, ni productivo, que la gente quiera imponerse a los demás para que diezmen. Para que dé resultado aplicar la Ley del Diezmo, debes darlo con plena libertad, la decisión debe ser por voluntad propia, con una convicción interna de que es correcto hacerlo.

Las personas que diezman con el propósito o idea de asegurarse tener más dinero se decepcionarán porque no verán los resultados deseados. Una persona que diezma por convicción, obtendrá aumento en sus finanzas además de otras bendiciones, pero no lo hace con ese fin. Ella está convencida que la Ley del Diezmo responde a su fe, creencia y convicción, no se deja influir por lo que otros digan o hagan.

Quien piensa que si diezma se hará rico y hará ricos a quienes entrega su Diezmo, está en un gran error. Diezmar es un estado de conciencia. Si quieres empezar a diezmar, lo primero que debes hacer es analizar tu pensamiento acerca del Diezmo. Dios premia a quien sigue sus preceptos. *"Da y te será dado, una buena medida, apretada y rebosante; porque con la vara que mides te será medido"*. ¿Está claro?

Cuando pones a Dios primero en todo, incluyendo tu Diezmo, sabes que el bien que has recibido viene de Él y que así como Él te da en forma incondicional, de la misma manera lo retornas incondicionalmente. Así estarás cooperando con Su voluntad, para que otros también se beneficien al igual que tú.

El Reino de Dios es la fuente de toda bendición y cuando estás consciente de este Reino que siempre está a la mano, entonces estarás viviendo en Él y extrayendo todo lo necesario para vivir como Dios quiere que vivas; una vida plenamente feliz. Si te decides a diezmar con buena fe, aunque sea con un sentido de deber solamente, este acto expandirá y enriquecerá tu conciencia y no lo dudes, prosperarás.

El Diezmo es dinero consagrado al Eterno Dador. Debe ser usado para fomentar el Reino de Dios en la tierra. Cada individuo responde al llamado del Cristo que mora en lo profundo de su corazón y conciencia, ahí encontrará la respuesta a la pregunta de cómo disponer del Diezmo.

El propósito y deseo de Ciencia de la Mente es ayudar a las personas a conocerse a sí mismas para que conozcan a

Dios. Enseña que Dios no limita a Su creación —nosotros—, que Él no tiene favoritos y que Su Reino está siempre disponible para quien cree y pone en acción Sus Leyes con amor. Estas Leyes o principios dan resultado de acuerdo a su fe, creencia y convicción del bien, lo bueno. **¡ATRÉVETE A CREER! Y "TE SERÁ DADO DE ACUERDO A TU CREENCIA"**. Es la Ley Mental.

Capítulo 10

NUESTRA PROVISIÓN VIENE DE LO INVISIBLE

Todos usamos continuamente el Principio —o Ley Espiritual— en sus diferentes formas. Usamos el *Principio* de la gravedad cuando caminamos o permanecemos sentados. Si no existiera, estaríamos flotando en el aire. Usamos el *Principio* de las matemáticas cuando hacemos sumas, restas, divisiones y demás. Sabemos que el *Principio* que nos sostiene *Es* la vida y aunque no lo veamos, no podemos negar que existe.

Usamos la palabra Principio como sinónimo de Dios y significa el Principio de vida sobre el cual trabajamos y tenemos conciencia de ella. En nuestro trabajo espiritual necesitamos saber cómo hacer uso de este Principio de vida porque a diario nos enfrentamos con apariencias como discordias, vejez, pecado, muerte, limitación, carencia, pobreza y crisis.

El Principio de vida que es Dios, te da el resultado de acuerdo a tu forma de pensar. El Gran Maestro Jesús nos enseñó de la forma más sencilla cómo usar este Principio, dijo: ***"Te será dado de acuerdo a tu creencia"***. De manera que si piensas y crees en las apariencias como si fueran realidad, las perpetuarás en tu vida.

Por ejemplo, la pobreza permanece en ti por tu creencia en ella, pero en sí no tiene realidad porque no hay una Ley que la sostenga, y hasta que te des cuenta y entiendas el *Principio* de la provisión, no podrás librarte de ella. Padecerás la enfermedad hasta que no entiendas el *Principio* de la salud. Toda carencia o limitación que exista en tu vida se debe a la ignorancia de este *Principio* existente en cada ser humano, listo para llenar toda necesidad cuando lo reconoces.

Para que seas provisto en todo momento —de cualquier necesidad— tienes que reconocer que no estás separado de la Fuente Infinita de Provisión que es Dios. Debes comprender que como Hijo de Dios, es tu derecho Divino tener todo lo necesario y algo más siempre.

"Yo y el Padre somos uno y todo lo que el Padre tiene es mío. En Él vivimos, nos movemos y somos. Porque linaje suyo somos". Si alguien experimenta carencia es precisamente por su incapacidad o falta de información acerca de su verdadera y real Fuente de Provisión.

En este Universo en que vivimos —somos parte de él— específicamente en el planeta Tierra, hay abundancia de las cosas que necesitamos para vivir a plenitud. Existen inmensos sembradíos y cosechas en abundancia, frutas y verduras por doquier, innumerables peces en los océanos, incontables pájaros en el aire y animales en tierra, etc. ¿Dónde está la escasez?

Indudablemente, la escasez existe sólo en la mente de quien no está en sintonía con la Fuente Inagotable de Provisión, y por esta razón, no puede tener acceso a ella. No importa que antes hayas carecido y padecido. Ahora debes afirmar que tu provisión viene de la Fuente Única —del Creador del Universo— que abastece a toda Su creación y de la cuál eres parte integral.

Mucha gente busca su provisión en lo externo, lo cual le lleva a sufrimientos y carencia. Trata de encontrar la ansiada paz, felicidad, reconocimiento, amor o provisión. Quiere obtener todo del mundo que le rodea, de las personas, cosas o circunstancias. No se da cuenta que el mundo exterior es el reflejo del mundo interior.

Cuando reconoces que todo proviene de lo espiritual y que en el Espíritu no hay escasez sino abundancia, entonces los temores acerca de la provisión desaparecen de tu mente. Al conectarte mentalmente con el Eterno Proveedor experimentas Su Presencia Divina que te *habla* y dice: *"Hijo, todo lo que yo tengo es tuyo"*. El poeta místico dijo a su manera que Dios está más cerca que nuestro aliento, más cerca que nuestros pies y manos y el Gran Maestro Jesús dijo: ***"El Reino de Dios está dentro de nosotros"***.

Si hasta ahora no has experimentado paz, armonía, prosperidad, éxito y riqueza —a lo cual tienes derecho por ser Hijo de Dios— vamos a clarificar y encontrar la razón de ello. Simplemente porque has estado desconectado de tu verdadera Fuente y porque has creído que tu relación con Ella está afuera, dependiendo siempre de personas, cosas y circunstancias.

La provisión es infinita y está siempre disponible para todos, sólo requiere de fe, creencia, convicción y aceptación para que puedas manifestarla. Ésta es nuestra verdad, ¿cuál es la tuya? La verdad es invisible como la provisión misma. La verdad es espiritual y es Dios, el Principio Absoluto, quien es omnipresente, omnisciente y omnipotente.

NUESTRAS FUERZAS O PODER SON INVISIBLES

El tiempo ha llegado y es hora de que el hombre cambie su enfoque y deje de depender del esfuerzo físico, de lo aprendido a través de sus cinco sentidos y viejas creencias como "si quieres triunfar en la vida tienes que esforzarte mucho; tienes que sufrir para merecer; ganarás el pan con el sudor de tu frente; naciste con mala estrella; todo es muy difícil; no tienes oportunidades". Como ves, todo está relacionado con lo externo.

Si creciste bajo una educación con estas creencias, indudablemente has experimentado algo como lo anterior y quizá sigas expresándolo. Te invitamos a que cambies tu manera de pensar y así cambiará tu vida. Si ya te cansaste de vivir con carencias y estar siempre preocupado por tu provisión, empieza ahora y no enfoques más tu atención en ver las posibilidades sólo de lo externo, aprende a ver que lo físico es una expresión proveniente de lo interno que se refleja externamente. Lo anterior significa que la Eterna Provisión viene de la fuerza interna que todos poseemos —de la mente a través del pensamiento.

¿Cómo estás usando tu imaginación? Es una fuerza interna inherente a ti. Usa tu imaginación en forma constructiva porque posees la cualidad de ser creativo. Debes mantener en tu mente los siguientes tres principios básicos y utilizarlos para realizar cualquier objetivo o propósito que sea por tu bien y el de los demás. Entonces no habrá nada ni nadie que impida esta realización.

El Deseo: ¿De dónde viene el deseo? No viene de lo que llamas tu persona, puesto que tu persona es sólo una expresión del Espíritu —alma, chispa Divina o aliento de vida— que te sostiene. Echemos un vistazo a la Trinidad que compone tu ser: Espíritu, Alma y Cuerpo. El Espíritu es el iniciador de todo lo visible e invisible, es la Causa Absoluta o Dios. El Alma es el aspecto creativo, el "hacedor", el poder ilimitado para quien nada es imposible. El Cuerpo sólo expresa lo que el Espíritu desea expresar. Busca el libro *Jesús; El Gran Maestro Metafísico** en él encontraras más detalladamente el significado de la Trinidad y cómo trabaja en nosotros.

Por consiguiente, el deseo surge de ese "algo" interno que desea expresarse a través de nosotros pero que lamentablemente muy pocos siguen su impulso. La mayoría de las veces es rechazado porque el razonamiento de las personas les dice, a través de sus cinco sentidos, que no es bueno, no es posible o es demasiado bueno para ser verdad. El intelecto es el medio o canal de información

---

*El libro *Jesús; El Gran Maestro Metafísico* puede ser adquirido en el Instituto Ciencia de la Mente en Monterrey, Apartado Postal 352, San Nicolás de los Garza, NL. 66451 México.

relacionado con el mundo objetivo —el mundo que te rodea y que estudiaste en la escuela a través de maestros, libros y medios de información como periódicos, revistas, televisión, personas, etcétera.

Es lógico que en tu nivel humano rechaces algo que aún no puedes ver físicamente, pero si analizas todo lo que objetivamente ves, ¿de dónde vino todo? Precisamente de ese mundo que no ves pero que sin duda existe.

La Imaginación: Todo cuanto imaginas es porque ya existe en ese mundo invisible y que está listo para ser manifestado en el mundo visible. La imaginación surge de tu nivel espiritual consciente. Cuando meditas o visualizas usas el poder mental que posees. Es la película que estás "viendo" con tu vista interna —espiritual, sin la necesidad de usar la vista física. Por el contrario, cuando visualizas, cierras los ojos con el objetivo de que nada del mundo externo interfiera en tu propósito.

La Autosugestión: Este método se usa a través de hacer afirmaciones. Afirmas lo que realmente has escogido ser o tener. Es la forma de llenar el equivalente mental en tu parte subconsciente o alma, que es donde se lleva a cabo el proceso de tu objetivo —es la parte "hacedora" en ti. Mientras no exista en el subconsciente el equivalente mental del deseo, no habrá manifestación del mismo y por ello debes afirmar lo que aún no ves, aunque te parezca "tonto" o que estás mintiéndote al afirmarlo.

Todos son procesos mentales. Si los utilizas en forma correcta, te darán un resultado correcto, perfecto y exacto. Es una urgencia cósmica en todos que vivamos expresando lo mejor que el Creador preparó para disfrutarlo a plenitud. Nada ni nadie puede retener o limitarte, eres tú mismo quien origina estos bloqueos mentales e impide que la Suprema Fuente te provea de todo.

Vamos a dar un ejemplo para tener una idea mejor y más clara del proceso Deseo + Imaginación + Afirmación = Realización.

Supongamos que repentina e insistentemente llega a tu mente el deseo de poner un negocio de comida rápida, incluso "ves" en tu mente con letras grandes y en inglés el nombre de "Fast Food". Llega con más fuerza cuando vas a un centro comercial o a algún área "densa", como le llaman en los círculos de negocios porque hay mucho tráfico de gente.

Si algunas veces has deseado ser una persona financieramente libre y estable, es decir, no depender de un patrón o empresa y tener siempre suficiente dinero, tal vez ese sea la causa de que te llegue el pensamiento de tener tu negocio, ser tu propio patrón y ganar suficiente dinero, no sólo tú, sino toda la gente involucrada.

Si eres una persona emprendedora, no tendrás dificultad para iniciar el negocio. Pero si nunca has tenido un propósito de esta naturaleza y sí tienes muchas dudas acerca de que logres ser independiente financieramente, entonces estás apto para comenzar con este método. No deseches el pensamiento insistente de poner el negocio, puedes estar seguro de que si no lo haces tú, alguien te ganará y pondrá en acción esta idea, la cual está complementada de todo lo necesario para su realización.

Sólo hace falta que alguien la realice físicamente y ése alguien puedes ser tú desde el momento que viene a tu mente, aunque te parezca imposible o "descabellada" la idea, ponte ahora mismo a trabajar para que la realices.

Como ya hemos explicado, intelectualmente surgirán en tu mente ideas contrarias al propósito, pero no te desanimes ni te descorazones, mientras no descartes la idea y la nutras con la técnica expuesta aquí, llegará el feliz momento de tu manifestación. Mantén contigo esta actitud positiva de seguridad aunque aún no la veas externamente. Una cosa muy importante es que, de preferencia, no se lo cuentes a nadie si consideras que no recibirás apoyo moral para tu propósito. Eso sería fatal para tu fe si es que no la tienes bien cimentada.

Proceso a seguir: Dedica tiempo a tu deseo, si es posible tres veces al día —mínimo una vez. Procura un lugar tranquilo, callado y sobre todo que estés mentalmente libre de toda preocupación o ansiedad. No permitas que tu pensamiento se desvíe, enfoca toda la atención en tu proyecto. Siéntate muy cómodamente y relaja tu cuerpo lo mejor posible, que nadie te interrumpa durante el tiempo que dure tu trabajo mental —te lleva sólo diez minutos. Este momento es el más importante para ti, así que cierra los ojos y sin forzar tu pensamiento, sólo centra la atención en tu imaginación. Trae a tu mente la imagen del negocio que deseas, cómo quieres que sea, las dimensiones, el mobiliario, el nombre, en fin, todos los detalles que te parezcan convenientes.

No limites tu imaginación, déjala volar e imagina que hay mucha gente sentada y disfrutando de su comida favorita, del magnífico servicio que están recibiendo. Todos felices, satisfechos, te felicitan por lo confortable del lugar, el magnífico y eficiente servicio, sobre todo la atención de que han sido objeto y ni qué decir de los deliciosos alimentos que han consumido.

Mantén esa imagen lo más que puedas y siente que ya está realizado, no que va a realizarse. Desde el momento mismo en que estás *mirándolo* significa que ya está hecho. Sigue con tu actitud positiva y expectante, de un momento a otro sucederá físicamente. Una vez que lo has disfrutado mentalmente, da gracias a Dios porque todo está llevándose de acuerdo al Orden Divino. Ahora abre los ojos y continúa con las actividades del día, cada vez que llegue a tu mente lo que has hecho, afirma: *"Todo está llevándose de acuerdo al Orden Divino, gracias Dios"*.

Una vez que hayas contemplado lo anterior, entre más clara sea tu visualización, entre más *sentimiento* de aceptación le des, más rápido vendrá a ti el resultado. No prestes atención al temor si de momento no cuentas con una cuenta bancaria o dinero suficiente para iniciar esta "aventura", tú sigue afirmando: ***"Todo está llevándose de acuerdo al Orden Divino, gracias Dios"*** y continúa con tu trabajo mental. En el momento oportuno y perfecto, las cosas llegarán por las vías o canales correctos que tiene Dios para que suceda.

Si primero quieres ver o entrevistar algunas personas porque sus nombres te llegan a la mente, no argumentes y ve a verlos. Tal vez cuando te entrevistes, te digan "andaba buscándote" o "he estado pensando en ti". Cuando estás haciendo tu trabajo y dejando a Dios que haga el suyo a su modo, a su manera, suceden cosas maravillosas pero debes estar siempre muy alerta para seguir la guía Divina.

Cuando pones a Dios como Socio Principal en tu negocio, Él hará que vayan a ti las personas o cosas necesarias para que todo funcione perfecta y maravillosamente.

Los negocios que maneja Dios a través de nosotros siempre son un éxito, así que no dudes en ponerlo como Socio. Quizá te preguntes: "¿Cómo puedo poner a Dios como mi socio?". Si ni siquiera puedes aceptar que Dios te escucha, lo anterior debe parecerte irónico y hasta sacrílego o falto de respeto.

En realidad no es así. Lo que llamas "mi vida", en verdad es la vida de Dios —individualizada— en ti. No puedes adueñarte de algo que no te pertenece. Por lo tanto, la vida que vives ahora es la vida de Dios en el punto de aceptación de cada cual, asimismo es como estás expresándolo. El Maestro Jesús llegó a esta realización y dijo: ***"Yo por mí*** (su persona) ***nada puedo hacer; es el Padre*** (Dios) ***en mí quien hace las obras"***.

Lo anterior tiene un significado muy profundo pues está diciendo que, como seres humanos, sólo somos la expresión de Dios en este plano físico pues para ello fuimos creados por Él. *"Y Dios creó al hombre y a la mujer a Su imagen y semejanza"*. ¿Qué significa para ti? Te recordamos que cuando hablamos de Dios, nos referimos al Espíritu Puro como sinónimo de Dios, no estamos haciendo referencia a la personalidad en nosotros. Nos comunicamos con el Creador a través de la mente —pensamiento o espíritu.

Por esa razón, te decimos que nosotros ponemos a Dios como socio en nuestro diario vivir, pues es Su Vida la que estamos viviendo. Cuando eres consciente de lo anterior, entonces todo tiene otro sentido.

En cierta, ocasión uno de mis más queridos maestros me dijo: "José, si realmente crees y aceptas que tu vida no es 'tu vida' sino la vida de Dios en ti, entonces no tienes de qué preocuparte por lo que te falte para vivir mejor. Deja que Dios provea Su vida en ti, tú no interfieras preocupándote, sólo acepta que 'con Dios todo es posible' y que Él siempre te proveerá de todo lo necesario para que puedas ser una expresión perfecta y gloriosa".

No fue fácil para mí aceptarlo en aquel momento, pero me puse a reflexionar sobre el particular y trabajé muy diligentemente conmigo mismo para aceptar esta verdad y quiero decirte que sí es cierto, cuando dejas de preocuparte y en vez de eso agradeces lo que ya tienes, entonces lo que necesitas viene automáticamente.

Jesús lo dice en otra forma: ***"Busca primero el Reino de Dios y Su justicia y todo lo demás te será dado por añadidura"***. Si dices que verdaderamente crees en Dios y que tienes fe en Él, sólo te falta demostrarlo, es decir, esperar que suceda lo mejor en vez de preocuparte por 'qué comeré o qué vestiré mañana' porque el mañana será como tú quieras que sea. Para ello, el Padre Celestial te dio la libertad y el poder de escoger. ¿Cómo estás eligiendo vivir?

En cierta ocasión, un hombre joven vino a mí por orientación para poner el negocio de una librería que se necesitaba frente a una universidad particular recién abierta —él ya tenía experiencia en este negocio pues contaba con un pequeño espacio donde vendía además miscelánea pero quería expanderse y ese lugar era perfecto. Había locales disponibles y adecuados pero él no tenía el dinero suficiente y necesitaba un socio capitalista que invirtiera con él. Le hice un Tratamiento Mental Espiritual con la aceptación de que todo el dinero suficiente y necesario ya estaba llegando a él, igualmente que estuviera abierto y receptivo para que, si era necesario, se asociara con alguien más y que Dios lo guiara hacia la persona ideal.

"Pasados unos días" —me dijo después— "se me venía a la mente el nombre de Ricardo X e inmediatamente rechacé a esa persona pues Ricardo y yo trabajamos juntos en una empresa que cerró y liquidó a todo el personal. Ambos trabajábamos en el departamento legal como contadores pero nunca nos llevamos bien, siempre discutíamos y jamás llegábamos a un acuerdo.

"Pero la imagen de Ricardo no se apartaba de mi mente y por ello tuve que indagar su domicilio, una semana después logré localizarlo. Había abierto un negocio de contaduría en un lujoso edificio y por lo visto había progresado pues tenía a su servicio varios empleados y otros contadores. Cuando me anuncié con su secretaria, me hizo pasar de inmediato a su lujosa oficina.

"Mi sorpresa fue grande pues él era otra persona, muy amable y cortés conmigo, diferente al Ricardo que conocí. Cuando le platiqué del propósito de mi visita, dijo; 'Fíjate que he estado pensado en ti, pero no sabía tu dirección y nadie supo decirme dónde localizarte. Resulta que precisamente ese negocio que me propones está funcionando en ese lugar. A mí también me vino esa misma idea a la mente y me pareció buena, me asocié con un cuñado. Si hubieras venido la semana pasada hubiéramos hecho la sociedad. Yo estuve pensando en ti por la experiencia que tienes como contable y el negocio que manejas' ".

Si hubiera seguido la guía interna que le decía "busca a Ricardo" este hombre habría logrado su objetivo sin dificultad pero sus prejuicios o falsos juicios impidieron que fuera así. Al hacer un tratamiento para algún objetivo y pidas guía a la sabiduría interior en ti, nunca debes dudar cuando te llegue a la mente contactar con cierta persona o ir a cierto lugar porque esa es la respuesta aunque tu razonamiento te diga lo contrario. Tú puedes equivocarte, pero Dios jamás. Él siempre ve lo que sucederá y lo que es más conveniente para ti.

En resumen: La fuerza o el poder para crear que el Creador te ha dado, igual que a los demás, radica en el interior. Haciendo ejercicio o tomando vitaminas no encontrarás la fortaleza que buscas, claro que contribuye para mantenerte en buenas condiciones físicas, pero la fortaleza radica en tu interior. Como somos seres creativos por naturaleza no tenemos que competir o envidiar lo que otros tienen. Tú puedes tener eso y mucho más.

En los negocios de Dios no existe la competencia porque hay abundancia para todos. Los humanos somos los administradores de los bienes de Dios en este plano terrenal, Él siempre provee ricamente para que vivamos una vida a plenitud. Si quieres vivir de acuerdo al Plan Divino —es un plan perfecto que incluye salud permanente, armonía, riqueza, éxito y paz mental— tienes que comprender que toda provisión viene de la Fuente Única espiritual. Que toda fuente externa es sólo el medio o canal por el cual el Espíritu provee a Su creación, tú, nosotros y todos.

Capítulo 11

LA VERDADERA PROSPERIDAD

*L*a prosperidad verdadera y permanente ya está en tu conciencia. Si no la experimentamos es porque no la hemos reconocido y aun sin reconocerla, mucha gente la ha disfrutado y continúa siendo próspera. Todos tenemos Derecho a vivir en la prosperidad como un Derecho Divino, pero hay personas que nacen con esa conciencia de prosperidad y son las que sin dificultad logran tener todo.

Dichas personas siempre están pensando en la prosperidad o haciendo cosas que les reditúan su prosperidad, jamás pierden el tiempo pensando en escasez o limitación de ninguna clase, lo cual origina que sean todavía más prósperas. Tal vez sin darse cuenta están usando su poder de crear lo que quieren, no lo que no desean tener. Para que la prosperidad sea permanente debe venir a través de ti o sea, de tu forma de pensar pues tus pensamientos son creativos por naturaléza.

Si pudiéramos recibir prosperidad sin tener una rica conciencia, tal don sería contrario a la Ley Espiritual. Cuando construyes una conciencia de prosperidad pensando y desenvolviendo ricas ideas y usando todas tus potencialidades y habilidades, entonces descubres que te has estabilizado en una permanente conciencia de prosperidad. Puedes experimentar muchas condiciones de prosperidad, pero serán temporales hasta que logres despertar desde adentro y crear una conciencia de prosperidad.

Esta es la razón de que la riqueza heredada a mucha gente se agote tan fácilmente. Sucede porque no tienen una conciencia de riqueza y porque dar ayuda externa como alimentos y alojamiento a otras personas, pocas veces es efectivo, salvo en emergencias. Cuando ayudes a otros en sus necesidades, debes hacerlo con sabiduría para no hacerlas co-dependientes. Es más conveniente enseñarles cómo valerse por sí mismas en vez de sostenerlas toda la vida.

Una cosa que debes recordar sobre las Leyes de prosperidad es que cada individuo debe probarlas por sí mismo. Por ejemplo, en el hogar, la esposa no puede usar la conciencia por su esposo ni él por ella. En muchos casos, la esposa vive reclamando en forma molesta y altanera al marido porque él no gana más dinero. ¿Pero qué está creando con esta actitud?, ¿Acaso resuelve la situación? Desde luego que no, por el contrario, sólo crea más escasez y a la vez una probable ruptura conyugal.

Lo que debe hacer es desarrollar su propia y abundante conciencia de riqueza. Entonces ella será una bendición e inspiración para el marido y toda la familia. Una persona puede ayudar a otra con la oración, pero no puede hacer toda la obra por ella. Cada quien debe desarrollar su propia conciencia de riqueza. Las situaciones o condiciones de otros no te perturbarán cuando hayas creado tu propia conciencia de prosperidad y riqueza. Lo anterior no significa que te hayas hecho insensible ante las situaciones de carencia de los demás, sino que sabes que están así porque tienen que pasar por esas experiencias hasta alcanzar el conocimiento de cómo adquirir su propia conciencia de riqueza.

En la mayoría de los hogares, el hombre, como cabeza de familia, se siente demasiado presionado por la responsabilidad de las necesidades y del sostén de la familia. Sucede así porque él está basando su provisión sobre su trabajo y medios externos. En esta conciencia humana, el hombre se esfuerza y sufre. Él vive preocupado por las altas y bajas, la oferta y la demanda del mundo de las finanzas y los negocios.

Cuando basas tu provisión en lo externo, siempre corres el riesgo de sufrir, de estar tenso, con temores, con la incertidumbre acerca del mañana. Hace dos mil años como ahora, siempre ha existido la necesidad, carencia, limitaciones y toda clase de enfermedades y por ello Jesús, el Gran Maestro que sabía de todas estas necesidades humanas, dijo a sus seguidores que no se preocuparan por esas cosas, que el Padre sabía de todo esto y que Él ya tenía la provisión preparada para llenar cualquier falta.

Jesús les dio una Ley o mandato a seguir para lograr provisión y prosperidad permanentes: ***"Buscad primero el Reino y Su Justicia y todas estas cosas os serán añadidas"***. ¿Acaso no fue claro al decirles esto? ¿No estás también dispuesto a probarlo? Si lo haces, no perderás nada y sí ganarás mucho. Sigue esta instrucción como la llave a la solución de tus problemas ahora. El Maestro dice que el Reino al que se refiere no es un lugar externo, por el contrario, está ahí mismo donde tú estás porque ya fue implantado dentro de ti desde el momento de tu nacimiento.

El Reino de ideas que controla las cosas como tu vestido, vivienda, alimento, transporte, trabajo, finanzas, relaciones, riqueza, éxito, prosperidad, salud, felicidad, paz mental, etc. está dentro de ti. Este Reino de ricas ideas dentro de ti es lo que el Maestro te indica que busques porque dentro de ti está el lugar de donde parten todas las fuerzas de tu ser.

Dentro de cada uno está la vida, el amor, poder y sustancia para crear. Pero es primordial que comprendas que esto que llamas "mi" vida, realmente no es tu vida, sino la vida de *"El Padre en mí"*. Este fue el gran descubrimiento del Maestro cuando se dio cuenta que "su" vida era la de Dios en él, entonces liberó su mente de todo sentido de preocupación acerca de su provisión y fue provisto de todo. Verdaderamente es sencillo pero no tan fácil hacerlo, lleva tiempo pero sí se puede lograr.

Cuando entras al Reino dentro de ti usas tus fuerzas espirituales —las cuales no tienen límite. Las utilizas con sabiduría, con rectitud y principias a usar tu amor para bendecir todo, tu fe para inspirar a otros, tu fortaleza para dar valor a quien lo necesite, tu imaginación para visualizar todo el bien existente y compartirlo con los demás. Cuando llegues a esta realización, entonces no habrá más temores en tu mente acerca de tu provisión, porque sabes de antemano que a dondequiera que vayas, dondequiera que estés, ahí mismo estará la sustancia lista para manifestarse y llenar cualquier necesidad.

Seguramente has escuchado alguna vez lo que hizo Jesús cuando dijo su "Sermón en el Monte". Alimentó a más de cinco mil personas de "un almuerzo" que llevaba un joven. ¿Cómo pudo hacerlo? Claro que no fue Jesús, el hombre, quien lo realizó sino el Padre en Jesús hizo el "milagro". Jesús y el joven fueron los medios que Dios utilizó para alimentar a toda esa gente porque, como dijo San Pablo: *"Ojos no han visto, ni oídos escuchado, ni han entrado en el corazón del hombre las cosas que Dios ha preparado para aquellos que le aman".*

Cuando construyes una conciencia de prosperidad pensando y poniendo en acción las ricas ideas que yacen en tu interior, usando todas tus potencialidades y habilidades, descubres que te has estabilizado en una permanente conciencia de prosperidad. También comprendes que cada persona tiene el mismo Derecho a ser independiente y aprender a demostrar para sí mismo su propio bien.

En lo que se refiere a la responsabilidad del padre y de la madre acerca de los hijos, son responsables mientras el niño no tenga la capacidad para escoger o saber qué es bueno o malo, cuando no puede valerse por sí mismo, entonces los padres debe enseñarle a elegir, a darse valor y seguridad en sí mismo. A temprana edad, la criatura asimila con facilidad lo que se le enseña, no tiene capacidad para rechazar, acepta todo como verdadero, por lo tanto, debe inculcársele que él depende siempre y únicamente de Dios.

Por ejemplo, cuando empieza a caminar debe decírsele: "Eres un maravilloso hijo de Dios, Él está dentro de ti y te da fortaleza y seguridad para que camines, adelante, tú puedes hacerlo". También cuando pida o le den sus cosas personales: "Tú siempre tienes todo lo que necesitas porque Dios en ti te provee con abundancia". Una vez que los niños empiecen a valerse por sí mismos, se debe dejar que escojan sus cosas, que empiecen a hacerse responsables de sí mismos pero siempre enseñarles que Dios en ellos los guía y protege.

Del mismo modo que sueltas a tus hijos para que elijan su propio modo de vivir —porque escoger es su Derecho Divino, igual que el tuyo— aunque parezca paradójico, para establecernos en un estado de bienestar, cada quien debe de dejar los apegos. Ya sean a tus seres queridos o a las cosas materiales y sobre todo a las viejas creencias establecidas dentro de ti acerca de las posesiones.

Si quieres que tu riqueza o prosperidad material se mantenga en la permanencia, debes mantener la mente libre de toda atadura externa. Tienes que probarte que, "mi real, verdadera e inagotable provisión de todo lo que necesite para que mi vida sea plena, proviene del Reino interno". Ésta es la fe absoluta que debes depositar en el Padre Celestial, el Eterno Proveedor. Que no te suceda lo que cuenta la parábola del joven rico que quería seguir a Jesús.

Según la historia, un joven rico se acercó a Jesús y le dijo que quería unirse al grupo. Entonces el Maestro, quien todo lo sabía y veía, percibió que este joven estaba mentalmente atado a su riqueza y poniéndolo a prueba le dijo: "Si quieres seguirme tienes que regalar a los pobres tu riqueza". El joven, al escucharlo, no pudo deshacerse de su riqueza material y optó por quedarse.

Desde luego Jesús no se oponía a la riqueza, él puso a prueba a este joven para que se diera cuenta de quién poseía a quién, la riqueza lo poseía a él y no él a la riqueza. Jesús tenía una conciencia de riqueza y él sabía que a donde fuera sería provisto ante cualquier necesidad. Él no necesitaba cargar consigo dinero —como nosotros usamos billetera, chequera o tarjeta de crédito para solventar cualquier gasto.

Sigue este ejemplo, lleva en tu conciencia la riqueza y sabe que tu provisión siempre estará lista a donde vayas. *"Haced tesoros en el Cielo —en tu conciencia— donde la polilla ni el óxido corrompen; donde los ladrones no minen ni roben".* Si dinero significa para ti prosperidad y no está circulando adecuadamente en tu cartera, entonces afirma de la siguiente manera:

"Yo reconozco a la Sustancia Divina y le doy gracias por manifestarse ahora en forma de dinero y llenar mi cartera y mi cuenta bancaria. Yo utilizo sabia, constructiva y adecuadamente el dinero. El dinero es bueno, formidable, es una idea Divina y circula en mi vida con abundancia para solventar todas mis necesidades económicas. Así es".

Recuerda siempre que "En el principio, Dios". Como en el principio de tu vida estaba y aún permanece Dios, del mismo modo, en el principio de tu nuevo día está primero Dios, luego todo lo demás. Si mantienes este buen hábito de reconocer antes que nada que todo proviene de tu Reino —la Fuente inagotable— entonces siempre recibirás inspiración y ayuda a través de las ideas correctas expresadas a través de tu conciencia.

Si así lo haces estarás meditando sobre el maravilloso pensamiento de la Omnipresencia Divina. Estarás sólo pensando en Su vida, Su amor y Su sustancia que se manifiestan por medio de ti, —a través de tus pensamientos— y de pronto exclamarás: "¡Ah! Se me ocurre una gran idea". Y *sentirás* la seguridad de que esa idea es fértil y productiva, asimismo tendrás la seguridad de una creciente prosperidad y éxito.

La prosperidad, riqueza y éxito comienzan en tu mente como una idea. La cantidad está limitada sólo por ti mismo, pues las ideas fluyen a través de tu mente para ser puestas en movimiento o acción. La fe elimina las limitaciones que existan, así pues, cuando estés preparado para negociar con la vida lo que desees, recuerda que tú eres quien pone el precio por obtener lo que quieres.

En resumen: La prosperidad verdadera y permanente no depende de fuentes externas, ellas son canales o medios por los cuales te llega. La prosperidad permanente proviene de la Fuente Invisible —del Reino— que está en cada uno de nosotros.

Capítulo 12

CÓMO MANIFESTAR LA SUSTANCIA OBJETIVAMENTE

A lo que llamamos Sustancia objetivamente manifestada, la ciencia lo define como Energía en Forma. Esto nos lleva a la comprensión de que todas las cosas que vemos objetivamente manifestadas son una materialización de la Sustancia en forma. En otras palabras, todo lo que ahora ves en el mundo visible son manifestaciones de la Sustancia. Hay muchas ideas o pensamientos y con la Sustancia que existe en el Universo se moldean y materializan a través de la mente que realiza cosas o formas.

Si lo deseas, puedes comprobar lo anterior. Haz una pausa ahora y por un momento —digamos quince minutos— olvídate de todo. Deja fuera de tu pensamiento toda actividad física que hayas estado realizando. Trata por todos los medios de no pensar en problemas o dificultades y sólo centra tu pensamiento en donde estás sentado y muy cómodamente relajado. Procura que sea un lugar quieto y tranquilo y, sobre todo, que en ese momento nadie te moleste o interrumpa.

Pon los brazos sobre las rodillas, con las palmas de las manos hacia arriba, en posición de recibir. Si quieres cierra los ojos.

Enseguida repite diez veces la siguiente oración: ***"Por muchos medios y canales me llega mi provisión. Mi Padre Celestial, mi Fuente inagotable de provisión, está más allá de todas las riquezas que hay en el Universo. Yo ahora espero mi provisión a través de todos los canales de la vida. Ella viene a mí de todos los puntos del Universo. Y Así Es"***.

Continúa relajado y ahora imagina que de diferentes direcciones te llegan rayos de luz cargados de energía que al llegar a tus manos se convierten en (menciona aquí lo que ahora estás necesitando como, dinero, ropa, casa, automóvil, etc.) todo lo que siempre has deseado tener. Recuerda siempre que "Los pensamientos son cosas".

Nadie puede limitarte, por lo tanto no te limites tú mismo. Deja que se vayan para siempre las viejas ideas acerca de escasez y limitaciones; sólo piensa en riqueza y abundancia. Principia a abrir tu mente a la prosperidad sin límite que el Creador tiene para ti y para todos, —Sus hijos— los herederos de todas Sus riquezas.

Afirma de la siguiente manera:

"Yo,(menciona tu nombre completo), no dependo de personas o condiciones porque mi prosperidad viene de Dios. Los medios permanecen siempre abiertos y receptivos para que todo llegue en el momento preciso de cualquier necesidad. Y Así Es".

¿Cómo y cuándo llegará todo? Nunca te preguntes ni te preocupes de cómo y cuándo te llegará todo lo que has aceptado conscientemente. Sólo mantente expectante pues de un momento a otro surgirá de la misma forma que surge el pan de la tostadora cuando está en su punto.

Tu trabajo por ahora es confiar, y la confianza es una forma de fe. La fe absoluta, o fe ciega como también se le llama, es la que hace que las cosas sucedan. Así como el agricultor siembra la semilla en la tierra y él confía en la Naturaleza que es sabia y en que hará germinar todo. El está seguro y expectante de que recogerá una gran cosecha. De la misma manera debes confiar en el Poder Creativo que hay en ti —o Naturaleza— y que hará realidad tu deseo. Nunca lo dudes porque eso puede bloquear el resultado. Si la duda llega a tu mente, contraataca el pensamiento diciendo: *"Dios está a cargo de mi deseo y todo está en Orden Divino"*.

La Naturaleza, o Mente Creativa en ti, jamás falla, por lo tanto, tu parte consiste en confiar para no fallarle. Insistimos, es muy importante que después de hacer tus afirmaciones, te quedes tranquilo y expectante de que lo que has decretado ya va a ti en Orden Divino; quiere decir que llegará en el momento oportuno y preciso que deben ser las cosas.

Aquí es donde debes demostrar tu fe, creencia y convicción, para demostrarlo debes mantenerte tranquilo, sereno y relajado todo el tiempo posible. Nosotros vivimos el siguiente caso:

En una ocasión, cuando estábamos como estudiantes de la filosofía Ciencia de la Mente en Estados Unidos, una señora de origen hispano fue a consultar con uno de nuestros maestros al término de una de las clases. El maestro nos invitó para que lo asistiéramos porque él no entendía muy bien el español. Ella dijo que tenía cuatro hijos pequeños y, con ojos llorosos, decía que ya tenían dos días sin comer porque habían despedido a su esposo y no había podido conseguir otro trabajo. De hecho, ya tenía más de un mes desempleado y los había dejado solos para irse a otra ciudad en busca de trabajo y hasta entonces no tenían noticias de él. Lo poco que les dejó se había terminado y ella nunca antes había trabajado pues siempre estuvo a cargo del hogar.

En su rostro se notaba la angustia y desesperación que sentía ante la impotencia de no poder hacer nada por sus hijos. Alguien le dijo que recurriera al maestro pues podría ayudarla. Después de escuchar el relato, el maestro la tranquilizó con palabras reconfortantes como: "No se preocupe señora, esto que está experimentando ya llegó a su fin. Desde este mismo momento le digo que si realmente cree en Dios y confía en Él, Él jamás la abandona y la provisión que usted necesita ya viene en camino para llenar toda falta, incluyendo dinero".

Entonces él hizo un tratamiento mental espiritual en el que aceptaba que toda necesidad o falta de esta señora y su familia ya estaba en ese momento tomando forma para ser llenada a través de la Sustancia Divina.

Una vez terminado el tratamiento el maestro le dijo: "Ahora muy tranquila, con la seguridad de que todo está ya solucionado en tu vida, vete a casa y mantén tu fe y confianza en Dios. No importan las apariencias, no importa que de momento no veas que pase algo. Tú sigue firme y no dudes jamás, por el contrario, acepta que algo está sucediendo en el mundo de Dios para tu bien. Arregla tu casa lo mejor que puedas, pon la mesa para la cena como si fueras a dar una gran fiesta, mantente optimista, alegre, corta algunas flores de tu jardín. Invita a tus niños que te ayuden para arreglar todo. Tal vez piensen que te has vuelto loca, pero no importa, no lo tomes a mal y considéralos. Ellos no saben lo que tú ahora sabes; que Dios va a proveerlos de todo. Sólo diles, 'es una ¡sorpresa!'". La señora siguió fielmente las instrucciones recibidas sin ningún cuestionamiento.

Al día siguiente, muy temprano llegó llorando con el maestro —pero esta vez de alegría— y le dijo que cuando ella les comunicó a sus hijos que iban a tener una gran fiesta, que le ayudaran a arreglarlo todo, ellos se entusiasmaron y se pusieron felices. "Ellos sabían que sólo pongo la vajilla de china en la mesa en ocasiones muy especiales, así es que desde ese momento hubo alegría que nos contagió a todos. Apenas terminamos de ordenar la mesa y adornar todo con las flores que cortamos en el jardín, sonó el timbre. Al abrir la puerta, ahí estaba una antigua vecina que hacía tiempo se mudó del vecindario y habíamos perdido todo contacto con ella. En aquél tiempo ella pasaba por una situación económica difícil, nosotros teníamos posibilidades y le prestamos 600 dólares.

"Traía consigo un gran pavo horneado por ella misma y todo lo necesario para disfrutar nuestra gran cena, también me pagó la deuda que ya se me había olvidado. Con un nudo en la garganta, en ese momento sólo pude decir: 'Gracias Dios'. Como usted me dijo, y ahora lo comprobé, verdaderamente Dios no falla. Él sabe por qué canal o medio nos enviará los alimentos y sustento, tan sólo debemos tener fe y confianza para no fallarle a Él". Ésta es una historia verídica que compartimos contigo y también te decimos: ten fe y confianza en el Dador Eterno.

IMAGINA SIEMPRE LO MEJOR

Mantén siempre enfocada tu atención en que todo lo bueno siempre viene hacia ti. La mejor forma para que borres de tu mente esa resistencia al cambio —que realmente es lo que te impide progresar— es visualizar sólo lo bueno que deseas para ti y para otros.

Deja de pensar de ti mismo en forma negativa, deja de sentirte que eres un mártir. Deja de pensar en problemas. Te cuesta lo mismo dar gracias porque todos tus problemas tienen una solución en el momento mismo en que los enfrentas a estar preocupándote porque no ves solución. Analiza qué te conviene y beneficia más, pensar negativa o positivamente. Piensa siempre en soluciones, nunca en problemas. No tratamos de convencerte ni es nuestro propósito. Tú mismo tienes que analizar y convencerte.

Mírate ahora mismo como la persona que deseas ser, jamás como no deseas verte. No te menosprecies más, recuerda que eres un ser maravilloso, dotado de cualidades y virtudes igual que todos los demás, por lo tanto nadie, puede ser más que otro pues en esencia todos somos iguales. La diferencia está en que quienes han triunfado y tenido éxito en su vida es porque reconocieron su verdadera esencia —que es espiritual—y reconocieron su capacidad y potencialidad para disfrutar de la vida.

Empieza ahora mismo a pensar en todas las posibilidades que existen para que obtengas éxito en todo lo que emprendas; en que así como otros tienen éxito, tú no eres la excepción y también lo tendrás, y tal vez mucho más, ¿porqué no? Aunque antes no hayas tenido mucho éxito, piensa en tus logros, incluso en los pequeños y en cómo te sentiste cuando los lograste. Mantén contigo esas imágenes de triunfo. Sabes que éxito trae éxito y fracaso trae fracaso, así que tú escoge qué deseas tener contigo: éxito o fracaso. Todo depende de ti, de lo que elijas.

Es muy cómodo culpar a situaciones o a otros porque no tienes éxito cuando no conoces cómo suceden las cosas. Queremos que lo entiendas muy bien: "pensar es crear". Deja de pensar en los fracasos del pasado y sólo vive el presente pensando en el éxito, en lo mejor que deseas experimentar ¡AHORA!

Cuando reconoces que es de suma importancia dejar ir el pasado —es decir, olvidar todo lo que te lastima y hace daño, todos esos remordimientos y lamentos como "pude haberlo hecho, si tan sólo lo hubiera intentado, tal vez pude, etc."— perdonar y perdonarte a ti mismo es el mejor "antídoto" para el sufrimiento, te ayuda a abolir todo impedimento para tu progreso y felicidad en el futuro.

Siempre es bueno recordar que al perdonar, tú eres el más beneficiado porque eliminas de la mente todo sufrimiento y abres el camino para que llegue todo lo bueno que el Universo tiene preparado y disponible para ti.

Cuando una persona vive en el pasado, maldiciendo y lamentándose de su desdicha, no está construyendo nada bueno para su futuro. Esa persona volverá a vivir todas esas cosas desagradables porque sin darse cuenta, al recordarlas está atrayéndolas nuevamente a su vida. Está sembrando lo que no quiere, pero la Ley Mental como la Ley de la Naturaleza, producirá exactamente la clase de pensamiento o semilla depositada en la mente o en la tierra.

Todos debemos saber y entender que todo está gobernado por una Ley y Orden. El Maestro Jesús lo sabía y por esta razón declaró: ***"Te será dado en la medida en que tú creas. De acuerdo a tu fe, así sea en ti"*** ¿Está claro para ti?

Un método efectivo que nosotros usamos para dejar el pasado fuera del presente es:

"Hoy, yo, (menciona tu nombre completo),
dejo ir libre y completamente de mi mente
el pasado y a la vez perdono a todos aquellos
que me hayan herido o causado algún daño, haya
sido verdad o imaginario. Yo ahora acepto el
presente que la vida me ofrece, éxito y prosperidad,
salud perfecta, armonía, felicidad y paz mental.
Yo así lo creo, yo así lo acepto y yo sé que Así Es".

UNA HISTORIA VERÍDICA

La Sra. Martínez era una hermosa mujer que tenía todo lo necesario para ser feliz. Tenía un esposo maravilloso que, a pesar de sus múltiples ocupaciones, siempre tenía tiempo para ella y su familia. Su hogar era de lo más lujoso que puede haber. Él era un empresario próspero, propietario de varios negocios. Tenían tres hijas y un hijo, cada uno con su automóvil propio y estudiaban en los mejores colegios. No obstante, ella vivía quejándose de su infancia que había sido muy triste y que había carecido de todo.

Esa tristeza que llevaba muy marcada en la memoria no le permitía gozar de todo lo que ahora Dios estaba dándole. Por lo tanto, su esposo, a pesar de quererla mucho, comenzó a cansarse de escucharla diariamente hablar sobre el mismo tema —su triste infancia.

Las pláticas que sostenía siempre estaban relacionadas con la pobreza, la tristeza, la constante queja de su pasado se había convertido en una obsesión al grado que, sin darse cuenta, estaba transmitiendo y proyectando una actitud de pobreza a él. Él lo notó cuando se dio cuenta que en sus negocios empezaban a mermar los ingresos. A pesar de la insistencia de él para que recibiera ayuda de un psicólogo, ella afirmaba que no lo necesitaba, que no iba a cambiar pues ya le había tocado vivir así.

Entonces él comenzó a dejar de ir a comer a su casa. Prefería reunirse con amigos y hablar de cosas más interesantes. Sus hijos fueron creciendo y empezaron a sentir también "la carga" del pasado de su madre. Como era de esperarse, también comenzaron a alejarse de ella porque sólo escuchaban quejas.

Llegó el momento que su pasado empezó a reflejarse en la vida de la Sra. Martínez. A pesar de tener dinero, ya nadie de la familia se interesaba en hablar con ella, ni la invitaban a salir a ninguna fiesta o reunión. Sus amistades y familiares se ausentaron de su lado. Ella empezó a enfermarse porque estaba resentida con todo mundo. Su resentimiento creció a pasos agigantados hasta convertirse en odio hacia su propia familia y a todos. No tardó mucho tiempo en que ese odio generara el veneno que se convirtió en el tan temido cáncer. El diagnóstico médico que le dieron fue terrible, todo su cuerpo estaba invadido de cáncer. Ella se preguntaba: "¿Qué mal he hecho para merecer esto?".

Al no conocer las Leyes Mentales o Espirituales, con su negatividad constante —pensamientos de tristeza, sufrimiento, resentimiento y rencor— había estado buscando su propia enfermedad y desgracia. Recordemos que la Ley Mental da siempre un resultado similar a lo que estás dando atención o enfoque.

Esta Ley que nos rige a todos por igual no tiene la facultad de razonar ni seleccionar, tampoco puede rechazar nada de lo que declares. Su principal función es obedecer y crear aquello que se ha elegido, sea bueno o malo, verdadero o falso. Igual que la tierra, no te rechaza si plantas una semilla de mala calidad, simplemente hace su función y te da un resultado similar, una planta débil que tal vez no alcance a crecer porque se marchitará o secará muy pronto. ¿De quién fue la culpa o a quién culpamos?

La Sra. Martínez tuvo que aprender de una manera muy dura la lección. Ella fue asistida por un maestro de la Ciencia Mental a sugerencia del doctor, ya que para la ciencia médica, lo que ella estaba experimentando no fue originado por algo externo y necesitaba ser atendida por alguien que entendiera la acción de las Leyes Mentales. Su enfermedad era lo que la ciencia llama psicosomática; relacionada con la psique y el doctor no entendía mucho de esto, razón por la cual le sugirió que viera a un maestro de la Ciencia de la Mente.

El maestro, al entrevistarse con ella y observar ese rostro que reflejaban tristeza y dolor pensó, "Esta persona está bloqueando el fluir de la vida a través de su precioso cuerpo-templo". Entonces pidió a los presentes que los dejaran solos por un rato para entablar una conversación con libertad.

Brevemente le explicó que no importaba la condición por más terrible que fuera, que lo que ella estaba experimentando era pasajero. Que todo puede cambiar o modificarse, como nosotros decimos, "con Dios todo es posible". Ella le habló de su triste pasado y de lo que la familia, familiares y amigos le habían hecho. Entonces él le dijo: "Sra. Martínez, ¿realmente desea sanar? ¿Está dispuesta a seguir una disciplina mental? Es decir, tiene que tomar una firme determinación, no pensar más en la enfermedad y sólo repetir constantemente: 'Gracias Dios por la perfecta salud que me has dado' y cada vez que sienta dolor declare: 'Esto ya está pasando, ya se fue'. Tiene que llenar su mente de perfecta salud y agradecimiento hacia Dios por todo lo que le ha dado y que nunca ha valorado ni agradecido. Por ejemplo, usted tiene un esposo que la quiere, unos hijos que la adoran, un hogar lindo y cosas hermosas. Debe pensar todo el día en eso en lugar de pensar en la enfermedad. Tal vez le parezca ilógico, pero es lo más efectivo que pueda haber. Póngalo a prueba y usted misma se convencerá. Ahora voy a hacer un tratamiento mental espiritual y solamente le pido que siga mis palabras, trate de sentirlas. Son la verdad absoluta, la verdad que nos libera de las falsas creencias y limitaciones, así como de todo malestar. Ahora cerremos los ojos para comenzar".

Después de realizar el tratamiento mental, se veía muy tranquila, su fe en Dios se había avivado, ahora en su rostro ya no se notaba tristeza sino deseos de vivir. El maestro también le dijo que era muy importante que dejara fuera de su mente el pasado, para lo cual le dejó una oración que tenía que hacer.

Al cabo de dos semanas fue dada de alta del hospital y la recuperación en su hogar fue más rápido. Al cambiar la actitud mental, su cuerpo sólo respondió manifestando lo que ella estuvo afirmando con fe, creencia y convicción. Ella volvió al estado normal que es de salud perfecta. Tanto la ciencia médica como la gente que la rodeaba no se explicaban cómo en tan poco tiempo logró obtener salud y, a partir de esa "mágica curación", nunca más volvió a padecer ninguna enfermedad. ¿Lo sabes tú?

No importa cómo haya sido, lo importante es que así como ella lo hizo, tú también puedes lograrlo. Aquí queda demostrado lo que Jesús dijo en su declaración: *"Las cosas que yo hago, tú las harás también; y cosas más grandes harás, sin tan sólo crees"*.

La Ley Divina sólo sabe del ¡AHORA! En este mismo momento en que estás Leyendo estas líneas puedes tomar una decisión, una firme determinación. Decide soltar el pasado y comienza a disfrutar el presente, vive con alegría esta vida maravillosa que el Creador te ha dado. Afirma:

> *"Yo ahora en este mismo momento acepto con gratitud mi felicidad completa y mi salud perfecta y permanente. Gracias Dios".*

ÍNDICE

TÍTULOS DE ESTA COLECCIÓN

Impreso en los talleres de
MUJICA IMPRESOR, S.A. DE C.V.
Calle Camelia No. 4, Col. El Manto,
Deleg. Iztapalapa, México, D.F.
Tel: 5686-3101.